儂《わし》は舞い上がった

―アフガン従軍記【下】―

宮嶋茂樹

祥伝社黄金文庫

[アフガニスタン北東部]
タジキスタン
ウズベキスタン
ドシャンベ
トルクメニスタン
ホジャババハウディン
テルメズ
ファイザバード
クンドゥス
マザリシャリフ
アンジュマン峠
アスタナ
サラン峠
パンジシール渓谷
チャリカル
ジャボルサラジ
バーミヤン
バグラム
トルハム
カブール
ペシャワール
ヘラート
ジャララバード
アフガニスタン
イスラマバード
パキスタン
カンダハル
拡大
クエッタ
N
0
200km
カザフスタン
タシケント
キルギス
ウズベキスタン
中華人民共和国
アシハバード
トルクメニスタン
ドシャンベ
タジキスタン
カブール
アフガニスタン
イスラマバード
パキスタン
イラン
インド
[アフガニスタンと周囲の国々]

儂は舞い上がった　目次

（上巻から読んでネ）

第11章　乞食街道をゆく…………185
——ガキもおらんのに授業参観

＊この作品は平成十四年十一月に都築事務所より四六版で発行、祥伝社より発売されました。登場人物の役職、肩書き等は、当時のままとしました。

第7章　渓谷は戦車の墓場！

——不肖、北部同盟の旗の下に来る

今日も昨日も異国の丘に
暗い砂空　陽がうすい
信じちゃならない
祖国の土に
辿り着くまで　その日まで

不肖

空に向かって撃て

翌朝、全員がほぼ同時に目を覚《さ》ました。充分に寝たからではない。目覚まし時計が鳴ったからでもない。肌を刺すような寒気に起こされたのである。外はまだ真っ暗であった。全員が無言で寝袋や毛布をたたみ、黙々とトラックの荷台に積み込んでいく。

運ちゃんは、昨夜もエンジンを切って毛布を被《かぶ》り、一人で車を守っていたようである。アホ通訳に比べると立派である。しかし、それは責任感とかプロ意識というのとは違う。車というオノレの財産、生活の糧《かて》を奪われないように、その一心であろう。

我々は何度も白鼻のおっさんの手を握り、礼を述べ、トヨタに乗り込んだ。また辛いドライブが始まるのである。皆、自然と口が重くなる。

走り出して間もなく、東の空が明るくなり始めた。目に入ってきたのは、やはり深い谷である。アンジュマン峠を越えたから、ここからはパンジシール渓谷であろう。ヒンズークシュの山々もすさまじかったが、パンジシール渓谷も負けず劣らずオトロシイ。

今日も天気はよさそうである。というより、雨なんか降らない土地なのである。横を流れる清流パンジシール川は、ヒンズークシュ山系に積もった雪が解《と》け出した川である。

日が少し昇った頃、初めて検問所らしきものにぶつかった。道端の掘立小屋だが、その脇には対空機関砲と重機関銃が南の空に向かって据え付けられている。車の中に顔を突っ込んできたのは、昨日のサルどもと似たり寄ったりの北部同盟の兵士であった。

我々三人とクリスが旅券を差し出す。どうせサルどもには日本もポーランドもどこにあるのかさえわからんのである。旅券はすぐに戻ってきたが、何か問題があるらしく、ブツクサ言っている。チップ目当てにゴネているようには見えない。

「コラッ！　なに余裕カマしとるんじゃあ！」

私は助手席の背にアフガンに来てから一五〇回目の蹴りを入れた。

「わかったのら」

車を降りて聞きに行ったアホはすぐに戻って来た。

「ここを通るパーミッション（許可）がいると言っているのら」

「早よ言わんかい！　そんなもん、あるわけないやろ。何とかしてくるのがワレの仕事や！」

今度はなかなか戻って来なかった。

「あ！　パーミッションって？　あの紙のことじゃあない？　ホレ、あのファイザバードのゲストハウスで渡された……」

「あっ、あの便所紙みたいなやつ……」

「あれ、どこしまったっけ？」

そうであった。あのとき「これ何どえ？」と首を傾《かし》げた落書きみたいな紙。私が共同通信と一緒くたになったあの紙である。有田記者がポケットからヨレヨレになった紙を引っ張り出してアホに手渡すとアッという間に解決した。シレーと助手席に座っていたクリスもOKである。

「おい、クリス、あんな紙もらわんかったか？」

「もらったが、ボイテックが持っていると思う……」

そうやったのう……。そのボイテックは今やどこにおるのかも知れない。クリスはいまや杉野兵曹長を探す広瀬中佐の心境を通り越し、ほとんど世捨人状態であった。

我々の車はそれでよかったのだが、一緒に出発したジョンたちのスペイン人クルーが引っかかった。これまたよせばいいのにアホがお節介を焼いた。お互いプロなのである。昨夜のような事故は手を差し伸べるべきであろうが、そもそも通訳を雇わんかったジョンたちが悪いのである。もっともこんなアホなら、雇わんかったほうがマシであったが——。

ジョンたちはパーミッションがなかった。それをアホを通じてゴネさせているようである。

「おいおい、どないしたんや？　ジョン、なんでパーミッションがないんや？」

「そもそもパーミッションってなんだ？」

「これですがな……。ファイザバードのゲストハウスでもらったやろ」

私は有田記者が持っていた紙を見せた。

「そんなもん捨てちまった……とは言えんからな、車を落としたときに川に流れちまったと言って誤魔化《ごまか》してんだ。ちょいとおたくの通訳借りるぜ」

結局、ジョンたちは次の検問所で確認をとるということで放免されたが、これではスペイン・チームのためにアホ通訳を飼い続けたようなもんである。我々は連中のようなシチュエーションに陥《おち》らないために、高いゼニを払って保険を掛けたのである。貸し出すならレンタル料を請求したいような話である。まあ、我々にとってアホは車の重しにしかなっていないし、使って減るもんでもないからいいのだが――。

写真界のシーラカンス

検問所の重機関銃はかなり旧式だが、一応、動くようであった。機関部上面には漢字が刻まれている。ドサクサに紛《まぎ》れて中国が安物のジャンク兵器をジャカスカ売り付けているのである。おそらくタリバンにも売っているであろう。カンボジアでもそうであった。

そのような中国に、なんでわが国はODAを与え続けるのであろうか。土井たか子センセイは「武器を売るなんてダメ！　そんな国を援助しちゃダメ！　ダメなものはダメ」と、なんで言わんのであろうか。いくらピンハネが得意な一派でも、まさか中国からODAをピンハネしとるわけではあるまい。不思議なことである。

検問所のサルどもが、その中国製の重機関銃を構《かま》えてうれしそうにポーズをとった。私と原田カメラマンに写真を撮れというのである。ここ数日、次々に外国人がやってきてはレンズを向けるので、撮られる快感を覚えてしまったのであろう。サルにマスを教えたようなもんである。

偶像崇拝禁止をバカ正直に守ろうとしているタリバンは写真を嫌う。連中にレンズを向けるのは、ほとんど銃を向けるのと同じである。しかし、北部同盟の兵士たちはまったく逆で、レンズを向けられるのがうれしくてたまらんようである。

撮るのが商売のこちらとしては、こんなに楽なことはないのだが、今にも両手でVサインを出しそうなのもなぁ……。不肖・宮嶋、一つしかない命とけっこうなゼニをかけてこ

検問所の対空機関砲（左）と重機関銃（右２つ）。
重機関銃は中国製。わが国のＯＤＡのなれの果て。

写っている北部同盟の兵士たちが見られなかった写
真。あのな、フィルムちゅうもんがあってな……。

こまで来ているのである。AP通信のフィン・コン・ウトが撮った、あの裸の少女が裸足で農道を駆けてくるみたいな、シブーい写真をモノにして、ピュリッツァー賞を取らねばならんのだが、ま、しゃあない。

私が何度がシャッターを切ると、兵士たちはすぐに寄って来て、無礼にもカメラの裏側、つまりファインダーのあたりを覗き込んだ。そして何やら不満そうにブツクサ言いだした。

「これはカメラではないと言っているのら」

アホ通訳の言葉で、私はすべての事情を理解した。連中にとってのカメラとはデジカメなのである。つまり撮られた次の瞬間にカメラの裏側で画像をチェックできるのがカメラだと思っているのである。

ソニーが世界初のデジタルカメラ「マビカ」を発表したのは、私が日大芸術学部で写真を学んでいた頃であった。ざっと二〇年前のことである。当時「マビカ」には、とてもプロの使用に耐えるクオリティがなかった。そのとき、私は確信した。よもや私の目の黒いうちに我々の業界でデジカメが使われることはあるまいと——。そして四年間、銀塩写真と化学反応を一生懸命勉強したのである。

しかし、時代の流れは台風の直撃を受けた明石川の激流のごとくであった。デジカメの性能アップとともに、プロのカメラマンまでがフィルムを使わなくなったのである。

これによって現像、定着、印画の手間からは解放されたが、その代わり、海外出張に出るカメラマンにはパソコンの携帯が義務づけられ、電話回線の確保が重要な仕事の一つとなった。電話回線が保障されないときは、デカいアンテナ（今では随分小さくなったが）付きの衛星電話を運ばなくてはならなくなった。

そして二〇〇一年、世界中からアフガンに押し掛けたカメラマン全員がデジカメを手にしていた。たった一人の例外を除いて。その例外こそ、不肖・宮嶋であった。

オノレが写真界のシーラカンスとなりつつあるのは承知している。しかし、デジカメっちゅうのは所詮、邪道、似非《えせ》、反則、イカサマである。なぜかは長くなるのでやめるが、ともかく、この地の人びとは、写真というものをデジタルでしか知らない。彼らの写真の歴史はいきなりデジカメから始まってしまったのである。これは江戸時代からタイムマシンで現代にやってきたようなもんなのである。

この無知蒙昧《むちもうまい》な連中に、銀塩反応こそ写真、私こそ正統派カメラマンなのだと理解させるのは不可能に近い。サルに代数を教えるのと同じくらい困難であろう。

かくして兵士たちは、私と私の愛機EOS1Vにバッタもんを見るような視線を投げかけ、原田カメラマンのまわりに群がった。そして、デジカメのディスプレイに再生されたオノレの汚いツラを見て喜ぶのであった。

幸せの黒い旗

検問所を後にすると、心なしか道がはっきりしてきた。朝日が昇ったからというより、わずかだが道らしくなってきたためであろう。しかし人家はさっぱり見えてこず、谷はあくまでも深い。文明の匂いはまだまだである。

谷に架かる橋の手前に二つ目のチェック・ポイントがあった。スペイン・チームの車がまた引っかかった。まあ、我々も体を伸ばしたくなったところだったから、ちょうどいい。車から這《は》い出て、あたりを見ると掘立小屋に売り物らしき物が並べられている。ちょうど開いたところらしかった。

「商店や！」

私は思わず駆け寄った。並んでいるものはわずかだが、ものを並べて売るという、かすかな文明の匂いがする。

「こら！　とっとと来い！　こんなときぐらい、役に立たんかい！」

私はジョンたちに関わっていたアホ通訳を商店まで呼び寄せた。

「りんごとタバコを一個ずつや。なんぼか聞け！」

どっちもタダみたいな値段だが、通訳料を考えるとべらぼうに高いことになる。日本のより二回りほど小さいりんごをドロだらけのゴアテックスの上着で磨いてかぶりついた。

「あれ？　うまいやんけ……。日本の紅玉かなんかと同じ味やないか……」

私は食い終わったりんごの芯を足元の下の橋の隙間から清流に投げ捨て、清々しい朝の空を見上げた。ジョンたちがもたついている検問小屋の上に一本の竹が高くそそり立っていた。

「あれ！」

私は橋のたもとでりんごを齧《かじ》っていた原田カメラマンと有田記者に空を指差した。

「おおおお〜！」

そこに翩翻《へんぽん》と、というよりパタパタと翻《ひるがえ》っていたのは小さい小さい黒い旗であった。

あれこそ北部同盟の旗である。いよいよ北部同盟の最前線の町ジャボルサラジに近付いてきた証拠ではなかろうか……。

ジョンたちは通信施設がある次の村で、パーミッションの件をクリアすることとなった。橋を渡って進むと、人家が増え、その間隔も短くなっているような気がした。

「ひょっとしたら……、今日中にジャボルサラジに着けるかも……」

我々の淡い期待に応えるかのように、次の村にはアッという間に着いた。昨日の長い夜間ドライブがウソのようである。北部同盟の司令部らしき掘立小屋で、また小休止。ここでも、あの落書きのような紙切れはオールマイティであった。我々三人と同乗のクリスまでまったく問題なしなのだが、ジョンたちの車が足を引っ張っていた。

ここには確かに通信施設があった。小屋の上にアンテナを立て、それをケーブルで引っ張って日本製のいちばん安っぽいトランシーバーのアンテナ・ジャックに繋《つな》いだものである。警察無線がまだアナログで自由に聞けた時代に我々が持っていたようなトランシーバーで、単三電池四本使用、周波数をクリックで合わせるタイプである。もちろん、スクランブルがかかっているわけがない。聞こうと思えば、タリバンだろうが、外国の軍隊であろうが一発で聞ける。ジャミング（妨害電波）を流されてもイチコロである。

その原始的無線機の前で、先に着いていたフランスのＴＶクルーがインマルサット衛星電話を広げていた。「先方に電話があるのなら、これ使ってもいいぞ」と北部同盟の兵士

共同墓地に翻る北部同盟の黒い旗。
この下に何人が眠っているのか。

に促《うなが》していたが、無駄のようであった。インマルのアンテナの前には、村のガキどもが黒山の人だかりを作っていた。アンテナからは宇宙空間の衛星にまで届く電波が出ている。その前面をガキが何も知らずに覗き込んでいるのである。

「アブないから退《の》け」という注意も逆効果であった。十何年か後、このアフガンで奇形児が生まれないことを祈るばかりである。いや、まだガキができるだけマシであろう。あれだけの近距離では、すでに子種が破壊されているかもしれん。

不幸な国のエエ女

もはや悟りの境地に達していたクリスは、広場で一人余裕をかましていた。

「大丈夫か？　クリス？」

「ああ！　これ飲むか？」

クリスが差し出したのは青いペプシコーラの缶であった。

「ど、どこでこれを？」

「道端の商店でいくらでも売っている。一本一ドルだってよ。あ、ゼニはいい。これも食うか？」

手にしていたビニール袋から取り出したのはアーモンドであった。日本で売っているチョコに申し訳程度にしか入っていないアーモンドがビニール袋にどっさりである。

「それとも、こっちほうがいいか？」

もうひとつの袋はクルミであった。こっちもどっさりである。

「どっちも一ドルだ」

いよいよ文明が近付きつつある。ペプシコーラである。かなり擦り切れ、塗料が剝げているが、中身はちゃんと泡の出るペプシであった。それにしても解《げ》せん。平均月収二ドルの国で一ドルのペプシなんて……。彼らにとっては二〇万円くらいのドンペリ並みの価値ではなかろうか。それにしても、今さらながらあのアホ通訳の一五〇ドルはすさまじく理《り》不尽《ふじん》である。

「ありがとう……。本当に感謝している」

クリスがボソッと呟《つぶや》いた。不気味である。

「これでオレは死ぬまで日本贔屓《びいき》だ」

鈴木宗男のようにゼニをばら撒《ま》くだけが外交ではないのである。

「ポーランドへは？」

「二、三度。まだ冷戦時代だったが、宿はワルシャワのインターコンチネンタルの隣の……、何ちゅうたかな?」

「アストリアだ」

「そこだ」

「今のワルシャワはすっかり近代都市だ。かつての西ヨーロッパ並みだ。カフェが立ち並び、美しい町だ」

「ここよりは……、という意味か?」

「そうだ。今度来るときは連絡くれ。ワルシャワでしか、今回の礼はできないが……」

クリスは名刺を川に流したらしく、私のメモに住所と連絡先を残した。

「よっしゃあ!」

私は急に元気が出てきた。ポーランドは不幸な国だが、一つだけとびきりの資源に恵まれている。女がエエのである。私の好みの美女の宝庫なのである。間違いなく世界で五指に入る。そこに最強のコネができたとなれば、こりゃあ、この仕事を片付けたら、なんとしてでもワルシャワに立ち寄らんとイカン。

思い起こせば二〇年近く前、確実に独身だった頃、ワルシャワを訪れた私はナイトクラブでシルヴィアという名のネェちゃんと知り合った。ムチャクチャ、エエ女であったが、ちょっとエラが張っていた。まあアバタもエクボで二日間お付き合いした。

若かった私は、当時まだ珍しかったディスコなんぞに繰り出し、二日目の夜にはシルヴィアのアパートで無事一発すませたのである。だが、恐れていたとおり彼女に五〇マルク巻き上げられ、次の日、彼女の運転でアウシュビッツに行く約束も見事にすっぽかされたのであった。

しかし、不肖・宮嶋もいまや四十男である。体力の衰えは隠すべくもないが、その分、キャリアは積んだのである。長年培《つちか》った手練手管で三〇くらいの脂の乗り切ったポーランド美女を次々に口説き落とし、磨き抜いたテクニックでメロメロにして……。う〜楽しみなことである。

「ところで、まだ年を聞いていなかったが……」

「三五」

私の質問にクリスは短く答えた。

「家族は？」

「この間までは女房がいたけど……。アメリカに行っちまった。オクラホマかどっかの見もしない田舎者のおっさんのもとにな。インターネットの出会い系サイトで知り合ったらしい」

どこまで不運な男なのであろうか。まぁ、私も同じようなもんであるが――。

戦車の墓場

やっとジョンたちのパーミッションが確認されたらしく、出発の準備が始まった。といってもトヨタに乗り込むだけなのだが、ここからは確実に道があった。よう考えたら、ペプシやナッツを運ぶために車が通っているハズである。川の流れも大きくなっている。しばらく走った後、突如、視界が広がった。

「おおおお〜！　何じゃあ、ここは！」

そこはカメラマンにとってパラダイスのような光景であった。一見、のどかそうな大草原に大量の戦車が転《ころ》がっている。一〇年前、ソ連が撤退した時、置き去りにしていった戦車の群れ。キャタピラがはずれ、砲が折れ、雑草が絡《から》みついていた。中には原型を留めたまま畑の真ん中にドドーンと居座っているものもあった。

まるで宮崎駿のアニメに出てきた巨大な虫の死骸に雑草が生えているシーンみたいであ

こういう使い方をされるとは、ソ連軍は思っても
みなかったろう。少年は卵売り。

戦車の墓場なんて、そう見られるもんではない。ジャ
ボルサラジを目前にして多少元気が出てきた。

る。松尾芭蕉が生きていたら「夏草や　兵《つわもの》どもが　夢のあと」という同じ俳句を作ったであろう光景である。

畑も川も一〇年前、いや一〇〇年前と変わらない風景であろう。その中に戦車の残骸が放置されている。そして、その戦車の残骸がまるで公園のブランコや滑り台であるかのように、ガキどもが無邪気に遊んでいるのである。

「停《と》めろ！」

私と原田カメラマンは同時に声を上げた。クリスだけが恨めしそうにしているかと思ったら、さに非《あら》ず。カメラマンはカメラバッグをガサゴソさまさぐっていた。前を走っていたジョンたちも、目の前の獲物に気付かんわけがない。カメラマンたちは脱兎のごとく車から転げ出て、たちまち撮影会を始めた。見たこともない外国人カメラマンに囲まれたガキどもはいちびり倒している。

どこにレンズを向けても絵になるが、フレームの中に他のカメラマンの姿が入ってしまう。やむなく順番待ち状態になった。撮り終えて車に戻ると、アホが余裕をかましていた。

「どうしたのら？　満足したのら？」

過去は知らず。ガキどもにとっては格好の遊び場。
周囲にカメラマンがいるので皆、視線が散っている。

「うるさい！　こんなところがあるなんていう情報はワレから率先して言わんかえ！」

「だって、これから先、タンクなんて腐るほどあるのら」

アホの言うとおり、それから先のパンジシール渓谷の南の地域は、まさに戦車の墓場であった。

それにしても信じられん量である。その数は私の目に映ったものの概算でゆうに一〇〇〇両、下手したら五〇〇〇両あってもおかしくないほど、畑に、道端に、川に放置され、腐るにまかされていた。戦争はそれほどすさまじかったのであろう。ソ連軍はそれほど慌《あわ》てて撤退していったのであろう。

車両本体だけではない。部品もゴロゴロである。キャタピラは坂道の滑り止めに使われていた。戦車のホイールで草花を育てている。砲身を物干し竿代わりにしている。挙げ句の果ては、不発弾やロケット砲弾で垣根まで作っているのであった。

もちろん、放置された車両のうちで比較的損傷が少なかったものは本来の目的で使用されている。まだ動けるもの、動けなくても砲だけは使えるものなどは、今のタリバンとの内戦にバリバリ使われ、北部同盟の主要兵器になっているのであった。

飼い主に尻尾を振る犬のように

また検問所が見えてきた。この検問が怖いのである。今、我々がいるような、もろ北部同盟支配地域ならまだマシだが、これがタリバンとの前線が入り組んだところだと、見せる書類を間違えただけでシャレにならんのである。

検問と称する山賊の待ち伏せもある。後にジャララバードとカブールの間で、検問だと思って停車した同業者の車からイタリア人とイギリス人が引きずり出され、射殺されている。そのコンボイの中には日本の民放クルーもいたのである。

北部同盟だからといって安心はできない。故マスード派のタジク人一派、寝返りのドスタム将軍率《ひき》いるウズベク人一派、ハリリ派ことハザラ人一派、旧王国派と呼ばれるザヒル・シャー一派と、北部同盟も一枚岩ではないのである。

もし、いや近い将来、アメリカの後ろ盾を得て、北部同盟はタリバンに勝利するであろう。そうすると、北部同盟内部で各グループが権力争いを始めるのは火を見るより明らかである。現に彼らはソ連撤退後も一〇年間、その理由で内戦を続け、タリバンが台頭する土壌をオノレらで作ってしまったのである。

パンジシール川は目に見えて広くなっていた。時折、対向車もやって来るようになった。丘には墓地が広がり、その中心部に北部同盟の旗が翻《ひるがえ》っている。川に架かった吊り橋は今にも落ちそうだが、その脇に擬装《ぎそう》のように放置戦車が並んでいる。そして掘立小屋が一軒である。

検問所の北部同盟のニィちゃんは、今度はなかなかスペイン・チームの通行を許そうとしなかった。司令部に照会しているらしく、日本製の安トランシーバーにガナリ声をあげている。しかし、司令部といっても、どうせここと同じ掘立小屋であろう。発行済みパーミッションの控えなんて、あるハズがない。そんな照会がシステマチックに行なえるくらいなら、この国はここまで荒れ果てたりはしなかったであろう。待てど暮らせど、司令部からの回答は来そうもなかった。

のどかであった。パンジシール川に石を投げて遊んでいると、検問所のニィちゃんが勝負を挑《いど》んできた。さすが血の気の多いアフガンの男である。

しかし、いくら生まれ落ちて以来、高地順応してきた健康優良児だろうが、こっちはガキのころから野球をやっているのである。アンダースローでしか投げられない田舎者に負けるわけがない。バツが悪いのか、ジョンも加わってゼニを賭けはじめた。

石を投げながら、ジョンはニィちゃんを説得していた。もちろんアホ通訳を通じてである。

「我々は今日の六時にドクター・アブドラとのインタビューのアポイントメントがある。遅れたら、君の責任問題になるぞ」

初めて聞いた。誰や、そのドクター・アブドラっちゅうのは……。まさか北部同盟の外相ドクター・アブドラのことやなかろうな？　アホ通訳も呆れて、やる気がなさそうである。

「おまえがスペインに来て困ったことがあったら、オレが絶対助けてやる。だから、今、オレたちを助けろ！」

スゴい！　さすが世界中に植民地を持ったスペイン人である。このアホ通訳がスペインの土を踏む可能性は限りなくゼロに近いというのに、もう口からでまかせ、何でもあり。目の前の障害を乗り越えるためには何だって言うし、何だってやるのである。

ゆっくり時が流れ、一時間近くが経った頃、遥か前方、パンジシール川下流に砂煙が舞い上がり、一台の対向車が勢いよく近付いてきた。ピックアップトラックである。そして我々の車とハナ突き合わせて止まると、小汚い格好のヒゲ面のニィちゃんが降りてきた。

「コマンダーなのら」

アホの一言で、ジョンは元気よく立ち上がった。そして次の瞬間、口から出る、あらゆる美辞麗句を並べ立て、そのニィちゃんの手を握り締め、放そうとしなかった。帰宅した飼い主にちぎれるほど尻尾を振ってまとわりつく犬のようである。私もシャバのシロート衆から見たら、あんなことを平気でやっているのであろうか。

コマンダーのニィちゃんはすっかりジョンのペースに乗せられ、ご機嫌である。アブドラ外相とのインタビュー話を信じたわけではなかろうが「次のアスタナ・チェック・ポイントで必ずパーミッションを取れ」と言い残して去って行った。

アスタナ・ゲストハウスの幽霊たち

これで我々もやっと解放である。検問所を通過した車のスピードが上がった。明らかに道が道としてわかるくらいマシになっている。谷もさほど深くなくなった。前方にピックアップトラックが大量に止まっているのが見えだした。山に三日間いた私には、それが東京の首都高の渋滞にも見えるくらいであった。そこだけ道幅が広くなっていて、運ちゃんらしき人相の悪い連中がが屯《たむろ》している。

「ここがアスタナ・チェック・ポイントなのら」

ほほう……。今までの掘立小屋と違い、一応、塀まである。多くの人と車、そして塀、それだけで文明の匂いがするやないか。運ちゃんたちや、その傍《かたわ》らのガキどもがジィーッとこっちを窺《うかが》っている。

「この中でジャボルサラジまで行くパーミッションを取るのら」

「よっしゃあ！　とっとと済ませてまおうで！」

我々は土塀の切れ目に申し訳なさそうに引っ付けてある木のドアを押し開けた。塀の内側にはなんとAPC（兵員輸送装甲車）がひっくり返っている。それが、ここではごく自然、日本庭園の庭石のようにしか見えない。そして、その脇にはきれいな堀、というより小川が流れている。

「おお～！」

水の中を覗き込んだ我々は思わず声を上げた。メダカらしきものが泳いでいたのである。その下に機関銃の弾《たま》が沈んでいる。手を入れると切れるように冷たい。ひょっとして飲めるんとちゃうかと思えるほどであった。

APCの周りには芝生が、いや草が生えていた。緑が夕日に輝いて目に染みる。平屋のプレハブがファイブ・スターズ（豪華ホテル）に見えた。プレハブ小屋の中に机が置かれ、おっさんがチョコーンと座っていた。机である。椅子である。こんなモダンな家具、アフガンに来て初めて見た。しかも入口で靴を脱ぐようになっている。

「ラッキーだったな！　いつもはここにはいないんだが。ここは一応、Ministry of Foreign Affairs（外務省）の出張所だ」

外務省……、なんというステキな響きか。しかもマトモな英語で。日本で聞けば悪の巣窟という印象だが、この地で聞くと、なんと文明的な言葉であろう。我々は次々に旅券を差し出した。

「ちょっとトイレを拝借……」

有田記者が机のおっさんに声をかけた。

「靴を脱いで、隣のドアを入って一つ目の右のドアだ」

なんという文明的な会話であろうか。やがておっさんは我々の旅券を突き返した。

「OKだ。宿泊は？」

「ジャボルサラジ」

「ジャボルサラジの外務省でビザの延長もできる。車はここで乗り換えていってくれ」

「？」

「…………」

「それで……、ここは？」

「アスタナだが？」

「ジャボルサラジまでは？」

「車で二時間だ」

「やったあ！」

アホ通訳の言う「二時間」ではないのである。外務省のお役人様の言う「二時間」なのである。我々三人は抱き合って飛び上がった。

「おい！　聞いたか？」

「確かにツーアワーズと言うた。今日中にジャボルサラジに着ける」

原田カメラマンと確認し合っていると、有田記者が呆然とした表情で戻ってきた。

「どないしたんスか？　夕方から幽霊でも見たんスか？」

「まあ幽霊みたいなもんだけど……」

私と原田カメラマンも部屋を飛び出て、隣の部屋のドアを開けた。

「…………」

「な、な、なんや？　ここは？」

そこにいたのは二〇人ほどの白人のグループであった。モロ同業者である。たしかに幽霊のように白い肌をして、無気力にカーペットの上であぐら……、ではなく座り込んでいる。

「お、おたくら……。ここで何してまんの？」

「へ？　あんたたちこそ？」

「へへへ……、ワテらは、しがないカメラマン。今からジャボルサラジに向かいますのや」

「そうか……。オレらはもう帰る。ここでヘリ待っているんだ」

ヘリ？　あっ、そう言えば、このチェック・ポイントの手前で川のほとりにミル8がチョコンと停まっていた。あそこがヘリポートで、ここはチェック・ポイント兼ゲストハウスっちゅうわけか……。

「で、どないでした、ジャボルサラジは？」

「ああ、いいところだぜ。暑くもなく、寒くもなく」

「…………」

私もいつかはこのアフガンを去る日が来るのである。それが近い将来であることを祈るばかりだが、そのとき、今越えてきた山を陸路で戻るのだけはイヤである。

うまくいけば、北部同盟の戦車の後ろに着いてカブール入城、そこで仕事をしたらジャララバードからパキスタンに出国、カイバル峠を越えてペシャワールへ、そしてパール・コンチネンタルのプールサイドでカクテルを傾けながら、東京に戻る飛行機を待つ。それが私の作戦だが、ここからヘリで脱出するというのも一つのオプションなのである。

それに、このアスタナ・ゲストハウスは快適そうだし……、などと、神ならぬ不肖・宮嶋、この時は思ったのであった。三週間後、ここでどんな目に遭うか想像もせずに――。


「帰れなきゃ、ここで暮らせ！」


パーミッションをもらった我々は喜々として土塀の木の扉から飛び出し、大きな伸びをした。なんという晴れ晴れとした心境であろう。

「ダンナ！　ジャボルサラジまで行くのだっちゃか？」

声を掛けてきたのは、またまたヒゲ面、おつむにマフラーを巻いた怪しげな奴である。

「そうやけど……」

「なら、オレたちの車でどうだっちゃ？　車はここで乗り換えなければならないだっちゃ」

確かに外務省小屋のおっさんもそんなことを言っていた。ふむ……、そうやな……。あのアホとの腐《くさ》れ縁《えん》もこれまでか……。

「それでなんぼや？」

「一五〇ドルだっちゃ。もちろん私付きだっちゃ」

どうやらコイツは通訳兼ガイドで、運ちゃんではないらしい。

「アホくさ！　寝ぼけんな！　二時間のドライブに一五〇ドル？　東京より高いやんけ！」

「無駄だっちゃ！　他もみんな同じ値段だっちゃ」

どこかで聞いたセリフである。ここでも戦争バブル、そしてダンゴー（談合）なのであった。

「よっしゃあ！　明るいうちにジャボルサラジに着くぞお！」

どうせ共同通信とシェアしたら七五ドルである。同じ黒いトヨタのピックアップトラックがバックで我々の目の前にやって来た。今度の運ちゃんも相当に人相が悪い。しかし、人相と運転技術に何の関係もないことはすでに学習済みである。

「うん？」

よう考えたら、あと二時間でジャボルサラジである。道もマシになっている。パーミッションも取得している。後部座席でウトウトしている間に着いてしまうであろう。すると、この通訳はまったく不要ではあるまいか。

「おえ！　おまえナシならなんぼや？」

「同じだっちゃ。何なら直接交渉してみるっちゃ！」

直接交渉だとぉ？　ダリ語なんぞ……。くっそう！　完全に足元を見られとる。しぁない、グズグズもしとられん。我々は荷物の積み替えを始めた。原田カメラマンがパソコンとインマルを積み込んできたリモバのスーツケースが、原型もわからんほど変形し、この三日間のドライブのすさまじさを訴えていた。アホ通訳と人相の悪い運ちゃんは、カモにありついた新たな運ちゃんと通訳が喜び勇んで手伝うのをキョトンと見守っている。

おっと、忘れていた。今までの仕事の報酬である。彼らも運ちゃん仲間とのやりとりで、仕事はここまでだということは承知したのであろう。ジャボルサラジまでなら一〇〇〇ドルだったが、ここアスタナまでなら九〇〇ドルでいいと言う。有田記者は一セントも値切らず、運ちゃんに一〇〇ドル札を九枚渡した。

本当によくやってくれた。言葉が通じないうえに通訳がアホなので話はできなかったが、大した奴である。無口でストイック、そして二夜とも、一言も泣き言を言わずに車内で眠り、我々の荷物を守った。前が見えにくいからと、あの凍てつく山を窓から顔を出しっ放しで運転し続けた。何度も訪れた車両故障も粘り強く修理を繰り返して乗り越えた。

九〇〇ドルは、この地ではすさまじい暴利ではある。しかし、その九〇〇ドルは、オノレの車をオシャカにしてしまうかもしれない保険でもある。そして、この運ちゃんは再び、あのアンジュマン峠を越えてファイザバードに戻るのである。新たな積荷を乗せるのか、戻りの客があるのか、そんなことは大したことではあるまい。手にした九〇〇ドルを一刻も早くバハラムで待つ家族に届けたいであろう。

アホ通訳にも一セントも値切らず、一五〇ドルを支払った。ただし、ジャンパーを買うために前払いしてやった二〇ドルを差し引いてである。

「ダンナ、ボクは今から戻るのら。帰りはどうするのら？　帰りの交通費も出すのら」

どこまで往生際《おうじょうぎわ》の悪いアホであろう。

「アホ！　知るかえ！　帰れなきゃ、ここで暮らせ！」

一応、契約だからゼニは払ってやるのである。本当なら、こっちがもらいたいくらいである。

「ダンナ……、ほんなら、ちょっと恵んでくれなのら……。ボクは三人も子どもがいるのら」

「やることだけはやっとんのやのう。ほんじゃあのう！」

追いすがるアホ通訳を振り払い、私は運ちゃんに発車を命じたのであった。

最終解脱

やっと着ける。あと二時間。もう故障や事故の心配もあるまい。及川記者とも久しぶりである。オウム蔓延《はびこ》るモスクワで、空爆下のベオグラードで、NATO進駐後のコソボで、そしていちばん最近は金正日を追ったハバロフスクで、ともに職務を遂行した戦友である。

彼は寝袋も持たず、着のみ着のままジャボルサラジ入りし、米軍の空爆をスクープした。そして今、現地で立往生しているのである。有田記者と原田カメラマンは、及川記者のために山のような救援物資を荷台に積んでいた。私も苦労して運んで来たカップヌードルを提供しよう。そして、ジャボルサラジに週刊文春臨時支局を開設するのである。

さあ……、やっと、やっと仕事ができる。フィルムとゼニの続く限り、ジャボルサラジに腰を落ち着けて撮りまくるのである。

途中、川原にまたヘリポートが見えた。ミル24が停まっている。「空飛ぶ怪物」として映画「ランボー」にもコピーが出てきたハリネズミのような攻撃ヘリである。おそらく北部同盟の虎の子であろう。道が石で固められている。そしてピックアップトラックではない普通車、トヨタのカローラが走っている。ということは道がこれ以上ひどくならないということではないのか。村と村の間がますます近くなってきた。

道路のどこからも、必ずどこかに戦車が見える。ほとんどは動かなくなったソ連軍の忘れ物だが、現役のモロ使い回しの旧式戦車もある。ロシアのT型戦車（大戦中のT34戦車）よりまだ古臭く見える。動くのが不思議なくらいである。

川原一面には難民キャンプが広がっていた。もちろん国内難民であろう。暇をもてあましたガキどもが車を見つけると勢いよく追いかけてきた。さすがである。ロクなもんも食うとらんだろうに、この高地ですさまじい体力である。

キャンプ内には屋台の商店も見える。ＵＮＨＣＲ（国連難民高等弁務官事務所）のブルー

戦車を屋根に、石を積んで壁に。
リサイクルの難民テント。

岩山と川原と戦車。パンジシールの日常。

のビニール製テントが山の斜面に広がっている。

「ここがマスードの故郷だっちゃ！」

この通訳の英語もかなり怪しいが、さっきまでのアホより数段マシである。

「マスードの死体も墓もこの村にあるのだっちゃ」

そうであった。マスードは、今回のニューヨークのテロ事件直前、ボジャババハウディンでタリバンの刺客から自爆テロを受け、ドシャンベの病院で死んだ。そして遺体はここパンジシールに運ばれた。こんな地の果てでも故郷なのである。

「この村の丘の上に、今、マスードの墓を作ってるだっちゃ！」

アンジュマンの山中と比べたら、いいところである。一生を過ごすのはゴメンだが、箱庭のような小ぢんまりした村で、息を整えるのも悪くはない。

店先からケバブを焼く匂いが漂《ただよ》ってきた。ちょいとクセのある臭いだが、新橋のガード下が懐かしくなってくる。目をつぶり鼻をつまめば、焼き鳥と思えなくもない。ペプシの缶が商店に山積みになっている。みずみずしい野菜が屋台にてんこ盛りである。

「おお〜！　ナスや！　ニンジンも！」

「リンゴや！　オレンジや！　ネギもニラもあるど！」

「こっちはニンジン、タマネギや！　カレーがでける！　ルーはないけど……」

「肉ジャガも！」

肉屋の店先では今まさに羊の首を切り落とし、皮を剝《は》いでいる真っ最中である。無数のハエと黄色いハチが、すでに吊るされた羊の肉にたかって、向こうが見えないくらいである。シロートにはエグいのだろうが、私は北海道での鹿狩りを思い出した。日本では、まもなく鹿狩り解禁日である。

通り過ぎる車の量が段違いに増えた。変わらないのは、道端に捨て置かれた戦車、装甲車、そして不発弾である。ロケット弾なんて、道端にてんこ盛り。米軍キャンプにヒステリーを起こす市民団体の皆様が見たら、失神してしまいそうなくらいゴロゴロである。

そのまわりを難民のガキどもが走り回っている。戦車の中に難民が住み着いているのである。

日が落ちて、あたりを赤い光が包んでいた。増えてきた検問も、すべて問題なく通過である。荷台のクリスは心地よい風を受けてボーッとしている。何を思っているのであろうか。細い坂道を下り、パンジシール川に架かった橋を右折する。

「次がジャボルサラジだっちゃ！」

もう通訳の言葉も上《うわ》の空であった。道がさらによくなったおかげで、トヨタはすさまじい砂煙をあげて疾走し続けた。

「着いたっちゃ！　ここが外務省だっちゃ」

すでに薄暗くなりはじめていた。私に喜びの感情はなかった。

「悟った……」

口から出たのはその一言だけであった。不肖・宮嶋、ついに最終解脱した瞬間であった。チベットの山奥でも、インドの菩提樹《ぼだいじゅ》の下でもなく、アフガンの砂まみれの町で、私は解脱したのである。女、酒、東京の喧騒、あらゆる娯楽……。そんなもんは所詮、一時《いっとき》の快楽、センズリの一抜きのような虚しいものなのである。

この三日間でアフガンの大地は、私に引退を決意させた。しかし、今、考えることは、この町でいかに長く滞在するかである。仕事はたった今、始まったのである。まず今夜の宿を確保し、外務省の小役人を探し出して滞在許可を取らねばならん。そして、いや、それより先に及川記者を探し出し、カップ・ヌードルを摑ませ、情報を引き出すのである。

日がとっぷり暮れると、暗闇で蠢《うごめ》いていた怪しげなニィちゃんたちが近付いてきた。

「ダンナ、通訳いるべ？」

「ダンナ、うらは優秀なガイドですら」

「一日、一〇〇ダラ。安いっぺ」

どいつもこいつも、アホ通訳のアブドルに負けず劣らずのマヌケ面《づら》ばかりである。新たな戦いが始まった。カブールまで六〇キロである。

南の空から爆音らしき音が轟《とどろ》いてきた。あの空に米軍の戦闘機が、その下に炎と瓦礫《がれき》に包まれたタリバンがいるハズであった。

第8章　正義なき戦い

——日英談判、破裂して

カップヌードルあるならば
遠く離れて三日四日
荒野千里にわたるとも
下宿支局に不肖あり

不肖

ホッチキスでプレスカード

外務省は、我々が連れて来られたCNNハウスの奥にあった。CNNハウスとはその名のとおりCNNが一軒丸ごと借り上げた広大な庭付きの邸宅で、その敷地奥の小屋が外務省なのであった。CNNハウスの小部屋に荷物をほおり込み、私は外務省に行ってみた。

ランタンの光の灯《とも》った小屋では、一〇畳ほどのカーペットの隅に怪しげなおっさんが胡座《あぐら》をかいていた。

おっさんの対角線の反対側に白人の女が三人、胡座をかけずに膝を抱えてダべってい る。顔を晒《さら》した若い女を見るのは久しぶりだが、どう見ても同業者である。

こんな小屋が外務省だというだけでも信じられんのに、なんで白人のネェちゃんまで居着いているのであろう。重ね重ねワンダーランドである。

「ビザか?」

目が合うと、おっさんは私が尋ねもせんうちに聞いてきた。

「まだ大丈夫ですか、サー?」

もう日も暮れた時間である。まさかと思ったが、おっさんの手招きに従って、靴を脱いで上がり、日本人らしく正座をした。日本人かどうかの確認は下手なパスポートより正座なのである。

「一週間で三〇ドル、一ヵ月で五〇ドル、六ヵ月で一〇〇ドル、どれにする？」

「う〜ん」としばらく考えたが、こんなところに六ヵ月もおることだけはないやろと「一ヵ月」と答えた。ちょいちょいと手招きするおっさんに旅券を手渡す。

空いているページにペタンとスタンプが押され、一丁上がりである。申請用紙もサインもなし。これで五〇ドルである。まるで米ドルを刷っているようなもんである。支払うと領収書もなしであった。

「プレスカードは？」

「へ？」

「プレスカードはいるのか？」

「もちろん、いただけるのでしたら……」

「二〇ドル」

「へ？」

首を傾《かし》げている私に、おっさんはチンケな名刺大の紙をくれた。どう見てもスーパーのレシート以下である。コピーのコピーの孫コピーどころか、玄孫《やしゃご》コピーくらいの用紙で、字が滲《にじ》んで読みにくい。目を凝《こ》らすと、どうやら名前とかエージェンシー（メディア名）とか国籍とかが書かれていた。私がそれらを埋めて手渡すと、おっさんはチョイとサインした。

「写真」

「へ？　何枚？」

「一枚」

私がパスポートカバーから小さな写真を引っ張り出すと、おっさんはそれをひったくり、無造作にハサミでチョキチョキ切って、用紙にホッチキスでバチンと止めた。

「二〇ドル！」

「へ？」

「プレスカードの手数料二〇ドル」

「これが二〇ドル……、外見からは二セントの値打ちもないけど……」

おっさんは受け取った二〇ドルを、スタンプを収めていたボックスに放り込んだ。領収書もなしである。レジスター（登録）や記録もつけない。リストすら書かない。これでは、ホンマに私のゼニがどこに消えるかわかったもんではない。

それにしても、写真をホッチキスで止めたプレスカードなんて初めてである。割り印もなしである。そもそも、この国でプレスカードが必要なのであろうか。タリバン側に渡ってしまったら、ISLAMIC STATE OF AFGANISTAN の権威なんぞない（タリバン側はISLAMIC EMRATES OF AFGANISTAN）。カードがあろうがなかろうが、即逮捕である。

種ナシ帰国

私はキツネに抓《つま》まれたように小屋を出た。ひょっとしたら、ゼニを騙し取られただけかもしれん。初日からこんなに巻き上げられて、明日からはいったいナンボかかるのであろう。首を傾《かし》げつつCNNハウスの小部屋に戻ると、クリスが荷物をまとめていた。

「あれ？　クリス、どした？　どっか行くのか？」

「ああ、いつまでも居候《いそうろう》するわけにもいかねえ。この隣が（外務省の）ゲストハウスだ。値段はここと同じだが、タコ部屋、雑魚寝《ざこね》の地獄だ。ポーランドのユースホステルよりひどいぜ」

「だったら、ここにおったらエエやないけ。今さら何、遠慮しとんど？」

「イヤ……、ボイテックが顔出すとしたら、やっぱ隣だろ」

私もクリスと一緒に荷物を隣のゲストハウスまで運んでやった。CNNハウスほど広くはない平屋では薄暗い明かりの中で白人たちが蠢《うごめ》いていた。もちろん、皆、同業者。人口密度は一人一畳もないいんちゃうかと思えるほどである。玄関が南側なのか、無数のインマルのアンテナが花開いていた。これでは出入りするたびに大量の強烈な電磁波を浴び、帰国するときは種ナシになっているであろう。

「おい……、こんなところで寝るスペースなんかあるんか?」

「パンジシールの馬小屋よりマシだよ……。じゃあな……」

クリスは薄暗い平屋に消えていった。

下宿占有作戦

CNNハウスに戻ってみると部屋がざわついていた。

「うん?」

「やあ……、宮嶋さん、お久しぶり」

「お、お、お……、おいたわし……、いや及川さん。久しぶりったって……、この間ハバロフスクで、金正日を追いかけたばっかやないすか。そんなことよりお元気そうで……」

コソボの時と同じようにおでこにヘッドランプ、チョビヒゲ姿である。私がこのマジメを絵に描いたような記者と出合うのはいつもとんでもない所である。空爆下のユーゴ、NATO軍の戦車が走り回るコソボ、アジア最後の独裁者を追ったシベリアの町……。

「あっさり及川さんと会えちゃったから、うちら二人は及川さんの下宿に移ります。どないします、宮嶋さん？」

荷造りをしていた原田カメラマンが私に訊く。及川記者と再会を懐かしんでいる余裕はない。今から、私はこの大地で寝る場所も、食うものも一人で調達しなければならなくなったのである。ただ「食う寝る出す」だけの場所ではない。仕事をしながらである。

ここはやはり寄らば大樹の陰である。及川記者はテロ事件直後から、このジャボルサラジにヘリで直乗りし、はや三週間になる。まずはそのノウハウをパクるのが賢明であろう。そのために日本からカップヌードル二ダースを運んで来たのである。

「へへへ……、皆の衆、ところで、その下宿とやらに、この哀れなカメラマンが泊まるだけのスペースがおますかいな？」

「うーん……、あったかな？　でも知らない間柄でもないし、ずっとちゅうわけにはいかないけど、今晩一晩くらいだったら、うちの支局に寝てってください。ただし、すごいとこですよ！」

「へえ、おおきに……、ほなら、行きまひょか……」

言質《げんち》さえ取ってしまえば、こっちのもんである。一晩可能なら二晩も可能である。二晩可能になったら三晩も四晩も同じであろう。あとはヤクザの占有みたいに居着いたらエエのである。

外はすさまじい砂嵐が吹き荒れていた。原田カメラマンが外に待たせていた車に荷を積み上げていた。またまたトヨタのピックアップトラックである。

しかし、この出張に出てから、いったい何十回、荷の積み降ろしをしたことであろう。もう引越しはゴメンである。私は共同通信の下宿に居着く心算《つもり》なんてオクビにも出さず、荷物と一緒に荷台に乗り込んだ。

山よりマシとはいえ、すさまじい揺れの中、トヨタはチョロチョロ走り出した。人気《ひとけ》はあるが、町は真っ暗である。いったいどこをどう走っているのかさえわからない。というより、すさまじい砂嵐で、目が開けられんのである。

トヨタは山道の崖にへばりついている、コンクリート打ちっ放しみたいな建物の上で止まった。建物は道の下、つまり谷側なのである。荷台から降りて、荷物を降ろし始めると、建物の中からガキみたいなニィちゃんらが出てきて、私の手から荷物をひったくっていった。

歓喜のためいき

道路脇の急な金属製の階段を降りると、目の前に分厚い鉄製のドアがあった。けっこう広そうな家である。建物の中は真っ暗であったが、驚くべきことにど真ん中にぽっかり大穴が開いていた。

まるで空爆されたようである。もちろん、その部分に屋根はない。一人歩くのがやっとの崩れかけた廊下の突き当たりに木製のドアがあり、一枚の紙が貼られている。

「共同通信アフガニスタン臨時支局」

手書きのダリ語と英語である。

「さ、さ、まあ、何はともあれ、お入りください。荷物は必要なものだけ出して、あとはとりあえずベランダに置いておいてください。あっ……、一応、靴を脱いで入ってね♥」

マグライトに浮かび上がった一〇畳ほどの室内に、寝袋と毛布が散乱し、窓の一面にパソコンやコードが並んでいた。恐らく世界中の共同通信の支局で、ここがいちばん私の部屋と似ているであろう。

「まあまあ……、汚いところだけど、適当に座ってください。とりあえず……」

及川記者はそう言いながらベランダからブルーの缶を抱きかかえてきた。

「おおおう！」

原田カメラマンが色めき立った。

「ペプシだけど……」

原田カメラマンの肩が落ちる。

「あるわけないだろ。この町には一滴のアルコールもないよ、覚悟して。私もこれほど長い間、一滴のアルコールも口にしなかったのは初めて……」

感慨深げに溜め息をついて、及川記者はペプシのプルトップを引き上げた。

「とりあえず……、長い道中、よくいらっしゃった。そして宮嶋さん、お久しぶり！」

全員がプルトップを引き抜いた。生ぬるいので泡が勢いよく吹き出てきた。

ゴクッ……。悲しいけれどペプシが旨い。思わず涙が込み上げてくる。長かった。本当に長かった。日本を発って一七日目、やっとやっと最前線の町に辿り着き、こうして屋根の下で夜を迎えられ、旧友とも会えたのである。

これまで、この共同通信アフガン臨時支局を守ってきたのは及川記者と臨時支局員の安田浩美氏（女性、前は長倉洋海氏と一緒に仕事をしていた）、そしてハビブという英語の通訳の三人であった。これに原田カメラマンと有田記者が加わって、今日からは五人となった。そして居候の私である。

さらに、そろそろ限界の及川記者の交代要員として、近々、元テヘラン支局長の長谷川記者もロンドン支局から来るという。元テヘラン支局長というからには当然ペルシア語が専門である。ダリ語はペルシア語の方言みたいなもんだから、長谷川氏が選ばれたのであろう。

おっ、イカン！　肝心なことを忘れとった。私はベランダに踊り出て段ボール箱を引き裂いた。中でぴっちり規則正しく並んでいたのはカップヌードルたちである。

「しょう油味にしますか。それともカレー、シーフード？」

及川記者の目が点になり、口からは涎《よだれ》とともに感動の一言が漏れた。

「素晴らしい……」

これで摑みはＯＫである。なんちゅうても日本人はカップヌードルの匂いに弱い。特にこの砂漠の国では一キロ先からでも匂うであろう。これで日本最大の通信社の臨時支局長

（非公認）は買収したも同然である。このために、わざわざ運んできたのである。我々はお湯を沸かすと、長い長い三分間を幾度も唾を呑み込みつつ待ったのであった。

「空爆開始」スクープ

及川記者には、私のカップヌードルばかりでなく、うれしい知らせもモスクワ支局の同僚・有田記者からもたらされた。

「及川さん……、社長賞の内示を持ってきました」

「へ？」

「東京からの内示を読み上げますので、お受け取りください」

二人とも頭にヘッドランプを取り付けたままの奇妙な授与式であった。

「えーと、世界の巨大メディアを制し、世界に先駆けて米軍空爆開始をクスープし、かつ放送各局に声で出演することにより、共同通信の名を世間に広く知らしめた功績により社長賞を授与する」

及川記者はこの臨時支局から十月七日の空爆開始を誰よりも早く報じていたのである。共同というお堅い大企業にしてはシャレのきいた授与式が行なわれ、及川記者はへへへ

戦場のカップヌードル。左から及川記者、
有田記者、原田カメラマン。

……と照れ笑いしながらも恭《うやうや》しく内示を受け取った。

なぜ、及川記者は世界的スクープをモノにできたか。もちろん、本人の手腕がすべてなのだが、ちょっと説明しておこう。

このアフガン臨時支局は角部屋で、二面が空に開いている。真南が一面窓で、西がベランダである。窓といっても桟《さん》とビニールである。しかし南に窓があるメリットはきわめて大きい。窓際でインマルを開いたら、即、アクセス可能なのである。

電話に便利というだけではない。高台の崖にへばりついたこの屋敷では、もっと重要な意味があった。カブールが真南にあるのである。窓の向こうの空はカブールの上空なのである。

カブールの標高が約一五〇〇メートル。ジャボルサラジが一八〇〇から一九〇〇メートル。カブール―ジャボルサラジ間の直線距離は六〇から七〇キロである。その間にあるのは砂漠だけ。晴天で無風だと砂嵐もない。空爆があれば、モロ丸見え！　なのである。

そして、その夜、空爆が開始されることはまともな神経をしている現地記者には予想できたという。まず、CNN、CBSなどのアメリカ系御用メディアに、米軍から通知されていた節があった。空爆開始の日時を二、三日前に教える代わりに、出撃基地、最前線の取材を自粛しろという取引に応じていたらしいのである。現地のＣＮＮ記者から「今夜は忙しくなるぞ」と忠告を受けた同業者もいたのである。

そして何よりも、その日の夕方、ジャボルサラジ滞在のジャーナリスト全員のパスポートを預かっていた外務省が「これから先は責任を持てない」という意味深《いみしん》な発言とともに、それを返却したのである。

決定打は、これまたその日の夕方のアブドル・アブドラ外相の定期記者会見である。この会見でアブドラ外相は「今後、何かがあるかも」と、もろ空爆開始を告知していたのであった。しかもこの日は新月。米軍の空爆開始は新月と相場が決まっている——。

及川記者は、この会見を受けて北部同盟幹部から「空爆は今晩実施の見込み」との情報を聞き込んで、これを打電、さらに現地時間午後八時半ごろ、共同通信アフガン臨時支局の南の窓に閃光が走り、空爆開始の確認が取れたという訳である。

及川記者はこれを口頭で東京に送った。通常はキーボードを叩いて原稿を書き、インマルで送稿するのだが、それができなかった。ジャボルサラジ入りしてまもなく、及川記者のパソコンはウンともスンとも言わなくなっていたのである。原因は言うまでもなく砂埃であった。以来、及川記者は生きていた一台のインマルから、毎日、原稿を口述していたのだった。

なんで、私が他人のスクープをこうして書くかというと、もちろん深～い理由《わけ》がある。誰でも他人の不幸は蜜の味。他人の幸福は妬《ねた》ましい。この第一報を配信できなかった同業者が因縁をつけているのである。

この地にはアフガン取材一本で食っている、というか飲まず食わずの自称フリージャーナリストが何人もいる。彼らにとってオノレこそがアフガンの第一人者、他人に出し抜かれるなんて許されんのである。そして、もっと質《たち》の悪い人権屋の記者も来ている。賢明な読者なら、もはや説明不要の朝日新聞の左巻きの記者である。

朝日は、ウィーン支局のA記者、モスクワ支局のK記者、東京からはHカメラマン、アエラの記者が来ていたが、それだけでは心配なのか、あの人権屋、本多センセイまでジャボルサラジに入れていた。しかもヘリ待ちを海外支局に丸投げ状態で——。

私は何も、築地にいる記者すべてが左巻きボケ、人権偏向病と言いたいのではない。A記者、K記者、Hカメラマンは皆、私と同じルートで、恐らく同じような苦労をしてジャボルサラジに辿り着いたハズである。その後、お三方とも帰路のヘリ待ち地獄（第10章で詳述）では、私以上の辛酸を舐めたハズである。その折り、言葉を交わしても、きわめて

ジャボルサラジで演習をする
北部同盟兵士たち。

記者会見するアブドル・アブドラ外相。
眼科のドクターで、相当なインテリ。

髭のない右の兵士はまだ十代半ば。
ジャボルサラジの丘の上で。

マトモな方たちであった。ただ、それ以外のごく一部の人たちが及川記者のスクープに対して言うのである。

「六〇キロも離れて空爆が見えるワケがない」

「でたらめな記事を配信されて迷惑だ」

こういうのを負け惜しみという。負け犬の遠吠えという。人のスクープにケチを付けているヒマがあったら、オノレの目と耳を磨き、オノレの手と足を動かさんかい！ほんでもって、世の中がガッピーンちゅうような大スクープをしてみせんかい！

土人記者

臨時支局の窓一面にはインマルの端末が三つ、そしてパソコンがズラリと並んでいた。床はそれらのケーブルがグチャグチャにもつれあっている。初日、支局に足を踏み入れた原田カメラマンは「及川さん、あんたは土人か？」と絶句したもんである。

もちろん部屋にコンセントなんぞない。パソコンとインマルのために夜間だけ回す屋上の発電機から引っ張るのである。

この地の同業者はすべてのものに飢えているが、いちばん欲しいものは安定した電気供給である。皆がこぞって電気屋に群がり、ヤクザなアフガン商人の言い値（一〇〇〇ドル以上）でジェネ（発電機）を買い漁《あさ》っていた。

ジェネに入れるガソリンは路上で売っている。ペットボトル入りでリッター約一ドル。日本よりちょい高いが、当然、超粗悪である。これをぶち込んだ私のドイツ製コールマンのランタンとボンベは一週間もしないうちに目詰まりした。

バッタ発電機を超粗悪ガソリンで回すのだから、回転数（アイドリング）は一定しない。規定電力に届かない。しかも流れる電気はノイズだらけである。当然、パソコンもインマルもまともに充電できなくなる。

この悩みを解消するブツを原田カメラマンは持って来ていた。スタビライザー（変圧器）である。ジェネから垂れ流されるノイズだらけの不安定な電力は、秋葉原で一〇〇〇円ちょいで売っているこのトランスを通して、ちょうど一〇〇ボルトに一定されるのである。

そのスタビライザーのおかげで、私のインマルもパンパンに充電できた。早速、週刊文春編集部にジャボルサラジ到着の一報を……と思ったが、この電話は紀尾井町の文藝春秋からの貸与品ではない。六本木のテレビ朝日が、どこの馬の骨ともわからん私に「ご自由にお使いください」と貸してくれたのである。

恩を忘れては不肖・宮嶋の中で「義」の一字が死ぬ。ここはまずテレビ朝日である。衛星にアクセスできた瞬間、メインパネルに受信状況を表わす線がビーン！と立った。元気なことである。そしてツーという懐かしい発信音——。かくて記念すべき前線ファースト・コールは、東京は六本木、テレビ朝日の報道局に繋がった。担当者がきちんと申し送りしてくれたのであろう、名前を告げるなり用件が伝わった。

「今どちらですか？」

「毎朝こちらに定時連絡、安全確認のお電話をいただくのは可能でしょうか？」

「ニュースでコメントを使わせてもらってもよろしいですか？」

立て板に水の応対であった。「お電話をいただくのは……」である。「使わせてもらってもよろしいですか」である。戦地で取材に励むカメラマンへの敬意っちゅうもんが感じられるではないか。ありがたいことである。

こんな地に私一人を飛ばしておきながら、あとはフィルムが届くのを暖房のきいた編集部で待つだけという、どこぞの誰かとドえらい違いである（シャレです、本気にしないでね♥）。午後九時を過ぎると、みんな女子大生と飲みに行ってしまう、どこぞの編集部とはドえらい違いである（アッ、コレも冗談です、念のため）。

泥棒が管理人

この下宿は臨時支局員の安井氏が探してきた北部同盟のコマンダーの屋敷である。川沿いの崖にへばりつくように建てられ、危ないことこのうえない。建物中央にドッカーンと穴が開いているのは別に空爆のためではなく、工事が中断したままだからだという。前述のとおり窓にガラスはなく、ビニールが張られている。

屋敷には一階に四部屋あり、イギリスのITNのクルー（一〇人ほど）が二つ、イスタンブールCNN（CNNの正規部隊ではなく、トルコのメディアのためのクルーで、まあCNNの別動隊ワイルド7みたいなもん）が一つ、共同通信が一つ使っている。

それから地下にタコ部屋のようなのが三つあり、ここのメンバーは頻繁に入れ替わっていた。私たちが到着した頃、そこに風呂場のカビみたいに巣食っていたのは、ロシア人グループ、気のいいイタリア人ラファエロ、そしてフランスの筋金入りのウォーコレスポンデント（戦争特派員）たちであった。

この地下タコ部屋に空きがあったので、翌日、私はそちらに移ることにした。行く所がなければ居候のつもりだったが、同じ建物にスペースがあるなら移ったほうがいい。共同通信には毎日二回も締切りがある。酒も飲めず、毎夜一〇時前にはスコンと寝てしまう私と違い、及川記者と有田記者は毎夜日付が変わっても、真っ暗な中で資料と取材メモを見比べ、パソコンとインマルに向かっているのである。

いくら心臓に陰毛が生えていると言われる不肖・宮嶋でも、他社様の邪魔をしつづけるわけにはイカンから、空いている地下タコ部屋に引っ越すことにしたのである。

空きがあると言っても、もともとキャパシティなんぞあってないようなもんである。一畳でもスペースがあれば相部屋だろうと、廊下だろうとかまわんのである。どうせハナからベッドなんぞない。この屋敷に何人押しかけてこようと、受け入れるほうとしては一向にかまわんのである。たくさん来れば来るほど、それ、すなわち米ドルがやってくるのと同じである。

という訳で、私にあてがわれたのは地下一階、一〇畳くらいの西向きの部屋である。同居人はフランス人とイタリア人のカメラマンである。地下にはあと二部屋、窓のない部屋があったが、私以外はしょっちゅうメンバーが変わる。辛抱できる奴で二夜くらい。それくらい地下は居心地が悪いのである。

しかし、私にとっては引越しのほうがよっぽど邪魔くさい。インマルも南の高窓に向かって立てると何とか通信可能であった。電気は夕方、使用人が回す発電機でかろうじて充電ができる。ハエが多いのは辛抱するしかないが、蚊は困る。なんちゅうても真下は小川である。ボウフラも湧きやすかろう。いくら朝夕めっきり寒いとはいえ、ここアフガンはバリバリのマラリア汚染地域である。現に我々の同業者が、週に一人くらいマラリアでブルブル震えながらヘリでタジキスタンに強制というか、希望送還されている。

下宿の料金は一人一泊二五ドルと法外である。水道、電気、ガス、ベッド、一切なし。屋根があるだけで二五ドルなのである。集金するのは情報省からきたというフレコミの自称管理人である。このチョビヒゲのチンチクリンニィちゃんは空き部屋や廊下に泊まっていて、二日ごとに集金に来るのだが、こいつがとんでもないワルであった。

及川記者は早くから、こいつの正体に気付いており、ゼニを払うたびに受け取りのサインをさせていた。そうとは知らず、生活管理能力ゼロの私は、面倒くさいからと二日ごとの集金を四日ごとにし、一〇〇ドルずつ払っていた。ところが、ある日突然、ゼニをもらっていないと騒ぎ出したのである。自分のノートに受け取った形跡がない、つまり私が払った記録がないというのである。わざと記録せず二重取りしようとしているのである。

無視していると「アジカハール外務省副長官に言って、貴様の出国の許可を出させないし、どこの宿にも泊まれないようにしてやる」などと、オカミの権威を嵩《かさ》にきる。どうしようもないチンカスである。もちろん無視し続けたが、私はこのチビのことをピーピング・トム（覗き魔）ならぬ、チーティング・トム（騙し魔）と呼んでいた。

この屋敷ではときどき盗難騒ぎがあり、なぜか必ず短波ラジオがなくなるのだが、皆、犯人を知っていた。チーティング・トムとそのかたわれが用もないのに我々の部屋にノックもせずに入ってきて、キョロキョロと物欲しそうにしていたのである。こいつは我々を監視するというより掠《かす》め取るために泊まり込んでいるのであった。

おそらく我々のうちの何人かを幽霊にし、宿泊者を少なめに報告して、その宿泊代をオノレのポッポにナイナイしているであろう。とんでもない悪党である。

宿泊料金には朝夕の二食が含まれており、二、三人のチンチクリンのアフガン人が用意してくれるのだが、書くまでもなくマトモなもんではない。朝メシはナンとジャムもどき、臨時収入があるとゆで卵が付く。夕食は毎日、羊の肉の冷めたのとナマのタマネギやニンジン、それにナンである。こんなもんで腹一杯になるわけがない。

市場にはタマネギ、ネギ、ニラ、ジャガイモ、ニンジン、オクラ、オレンジ、スイカの新鮮なのが充分に並んでいる。肉屋にはその日の朝に捌《さば》いた羊がズラリと並び、新鮮な証拠にその首を一緒に並べて顔見せをしている。にもかかわらず、なんでか知らんが、ろくなメシが出ないのである。これだけの材料があったら、私だって肉じゃが、カレー、焼きナスくらいは作れる。

必然的に夕食は自炊することになった。男四十にもなって砂漠の国で自炊である。もちろん、毎日は無理なので当番を決めての持ち回り。共同通信支局前の砂だらけの廊下で野菜や肉を切り、原田カメラマンたちがしこたま持って来た醤油をぶち込んでグツグツ煮るのであった。

クソでできた家

不十分なのは口から入れるものだけではない。人間、口に入れるのも大切だが、出すのも同じように重要である。ところが、この屋敷には便所が一つしかない。

しかも夜と日中は水が流れない。朝と夕方、発電機が回る時だけしか井戸水を汲み上げられないのである。そのうえ！　アフガンでは超貴重な洋式便所なのだが、便座がブッ壊れているのである。

それでどのように使うかというと、ブルブル震えながら中腰でケツを浮かすのである。一回クソに行くと、ヒンズースクワット一〇〇回分くらいの負担が腿《もも》にかかってしまう。

すると当然コントロールが悪くなり、クソがカバチ（便器の縁）にかかる。ビチグソあればカチグソもあり。それはそれはひどい有様になっていた。

こうした悲惨な状況の最も大きな責任は、私の推理によればイギリス人にある。彼らは身体がでかく腰高である。中腰になっての踏ん張りが効かないので、だんだん立ち上がっていく。そこでブリッとやると、ケツと便器が離れているためにノーコンになってしまうのである。

それだけではない！　ストライクの場合だってひどいのである。そもそも彼らのは太くてでかい。それを高高度《こう》から落下させると、便器の中の水に溶けたクソがバシャンと跳ね上がり、周りじゅうをクソだらけにするのである。

かつてイギリスは世界中に出掛けて悪さをし、そのツケで今も戦争が起きている。このアフガンだって、中東だって、もとはと言えばイギリスが勝手に引いた国境線が原因なのである。それだけでは飽《あ》き足らず、今またこうしてクソを撒《ま》き散らしているのである。読者は不肖・宮嶋のクソ談義がふかーい歴史的洞察に満ちていることを知るべきであろう。

さて、そのような悲惨な状況に、我々はどのように対処したか。突破口を開いたのは原田カメラマンであった。「腰が痛い」なんぞとぬかして、不届きにも屋敷の屋上でタレ始めたのである。この屋敷は、真ん中に大穴が開いているだけで充分にシュールなのだが、屋根というか屋上には畑があった。まぁ、ここらの家はみーんな土でできているので、屋上でネギを作ったりしているのである。

原田カメラマンは、毎日、屋上の土を蹴り上げて掘り、そこにクソをタレていたのである。これじゃあ、土の家というよりクソでできた家である。確かに悲惨な便所で中腰で踏ん張るより、大空を見上げてやったほうが気持ちエエであろう。

しかし、いくらド田舎とはいえ、道沿いの崖にへばりついた屋敷である。昼間だと上の道から丸見えである。やはり原田トイレを使うのは夜間が適している。

ある夜、やっと便意をもよおした私は、トイレットペーパーを指に巻きつけ、原田カメラマンを見習って屋上に向かった。

ジャボルサラジの町は、ところどころ発電機やランプから薄暗〜い明かりが漏れるだけ、月と星をいただいた空のほうが明るい。月明かりで屋上畑のあぜがはっきり見えるくらいである。手ごろな穴を……、と迂闊《うかつ》に土を蹴り上げるわけにはイカン。原田カメラマンがいくつも地雷を埋めているのである。土を触った形跡のないところを見計らって穴を掘り、ズボンを降ろす。

しゃがみこんで上を見上げれば満天の星。これは気持ちエエ。一回やったら止められんハズである。向こうの山から機関銃の銃声が聞こえる。上空から米軍機のソニックビーム（超音速波）が轟音となって降り注いでいる。なんという贅沢であろう。今、オノレが最前線の町にいることをイヤでも実感する。こんなクソは戦場カメラマンにしかできん。私はこの職業に就けた幸福をアラーの神に感謝したのであった。

おっと、あんまり気持ちエエからとのんびりはでけん。アフガン人は生まれつき夜目が利くのである。どこからか見られとるかもしれん。

それに同じ屋根の下で暮らすＩＴＮは、ときおりこの屋敷のベランダや上の道からカブールをバックに立ちレポをやる。道からだと、この屋上もライトで煌々《こうこう》と照らされるのである。ケツをイギリス中に放映されてはたまらん。

ロンドンより愛を込めて

我々が到着してから一週間ほど経った頃、及川記者の交代要員、長谷川記者がロンドンからやって来た。ドシャンベから直接ヘリでパンジシールにやってきたという。我々が血《ち》眼《まなこ》になって探しても「絶対にフライトはない」と言われていたルートである。しかも驚くべきことに一人で一〇〇キロものの荷物を持ってきていた。

その大量の積荷を開いて、共同通信アフガン臨時支局の方たちは目を点にした。なんといちばん嵩張《かさば》っていたのはブルーの上着であった。知る人ぞ知るブリット・プルーフ・ジャケット、つまり防弾チョッキである。

トカレフ9ミリ弾どころか、ライフルの高速弾すら止めてしまうというやつ。セラミックの甲板入りでバリバリのゴワゴワ。ご丁寧に支局員の人数分だけある。続いて出てきたのはセラミックのヘルメット。一目見ただけで、みんな暗ーくなった。こんな重くて嵩張るもんをわざわざロンドンから……。

「社内規則ですから、持って行けと申し受けましたので……、一人三〇万くらいかかってます」

「しかし……、こんなもん着けたら、カメラ持てねぇよ……」

もちろん、場所柄、誰もが防弾チョッキは着《っ》けていたい。しかし、それはTシャツくらいの重さの場合である。カメラマンとしては、どうしてもカメラという道具を扱いやすいようにと考えるのである。必然的に立ちレポするレポーター以外、誰しもが防弾チョッキは車のトランクに積みっ放しとなる。

そしてそのうちの何人かが「冗談だろ？」みたいな確率で銃撃に遭う。そのとき初めて「ああやっぱり……、チョッキを着けておくんだった……」とあの世で後悔するのである。

「一応、前線の取材に行く時は着けてください。と申し送られてきましたので……」

「はあ……」

「ほしてと……、お待たせしました。ロンドンでもなかなかなくて苦労しましたが……」

そう言って長谷川記者が取り出した白い物体に及川記者は小躍りした。それはどう見ても便座であった。すでに述べたトイレ事情のため、長谷川記者は便座を持ってくるよう依頼されていたのである。

世にジャーナリスト多しといえど、新任地に便座を運んだ者はそうはおるまい。共同通信の社史には、及川記者のスクープとともに長谷川記者の怪挙が記されるべきであろう。

及川記者はその純白のまっさらな便座にマジックで「ＫＹＯＤＯ」と書き入れ、支局の壁に飾った。以後、共同の支局員は、この便座を持って便所に行き、用を足したら支局まで持ち帰って壁に掛け、手を合わせて感謝するのであった。

あまりのうれしさに思わずホホずりはしなかったが。皆には真珠のネックレス以上の価値があった。

共同通信アフガニスタン臨時支局のドア前で自炊に励む及川記者（右）と不肖。手にするのは小さくても卵。

お湯をめぐる仁義なき戦い

食事と便所の次に大事なもの、ことに日本人になくてはならないもの、それは風呂である。アフガンでは細かい砂埃が肺に入り込み、人々は肺病で早死にするくらいである。昼間は一応暑くて汗をかくので、体も服も一日で一ミリくらいの垢が溜まる。しかし、水が少ない砂漠の国なのである。風呂だけはどうしようもない。せめてシャワーを浴びたいのだが……。

驚くべきことに、この屋敷にはバスルームがあった。しかもバスタブ付きである。もちろんお湯どころか水も出ない。昼行灯《ひるあんどん》ならぬアフガン・バスタブである。平和な時がいつか来ると信じているオーナーのシャレなのであろうか。二〇年も内戦が続いている、このジャボルサラジで熱い風呂に入れる日が本当に来ると思っていたのであろうか。

それはともかく、風呂もシャワーも絶望的である。しかし、我ら日本人も地獄なら、シャワーが大好きな白人たちも地獄であった。

もちろん、この屋敷にも水がまったくないわけではない。井戸水を汲み上げていた。しかし、井戸水を汲み上げるにはモーターを回さなければならない。つまり電気が必要なため、水が使えるのは発電機が動く時間だけなのである。それも炊事とトイレがメインで、

ジャボルサラジに出現した銭湯の垂れ幕。
お湯バケツ１杯50セント。

戦車のキャタピラで作った花壇？　砂場？
土俵？　なんやわからんが廃物利用。

その他の使用はごくわずかになる。

そのわずかな水をバスルームにあるダルマ型のストーブ兼湯沸《ゆわ》かしにかける。薪をカンカンに焚いて、ビンビンの熱湯を作る。それをバケツに取って、バスタブの水で割り、コップで体にかける。これでまあシャワーというか、水浴びはできる。

しかし、この屋敷には二〇人からの男がいる。女も二人いる。二十数人の人間が浴びるお湯をストーブ一個で沸かせるわけがない。そこで仁義なき戦いが起こるのであった。昔から人類は水の利権をめぐって争ってきた。水を得るために血を流し続けてきたのである。ここアフガンの屋敷では、お湯かけの利権をめぐって日英が激突したのであった。

この屋敷の最大勢力はイギリスのITNである。一〇人ほどのクルーで、なかにパッキン・ネエちゃんが一人いた。同じイギリス人だったルーシー・ブラックマンさんと似ていたので、我々はブラックマンさんとニックネームを付けていた。

もちろん、イギリス人の知らない所でそう呼んでいたのだが、このネエちゃんが、まあ、何と言うか、性悪《しょうわる》なのである。

第二勢力は六人の我々日本人であったが、イギリス人たちは我々を見下したような態度を取り続けていた。彼らは朝シャワーを浴びるのが習慣であるらしく、毎朝、バスルームにズラリと列を作って独占する。特にブラックマンさんはネェちゃんでもあるし、時間がかかるのである。

百歩譲って、それは仕方ないとしても、その列に日本人が並んだり、たまたま誰もいないときにお湯を使うと、理不尽にも怒り出すのであった。午前中はイギリス人専用だと決めているのである。もちろん、そんな規則などあるハズがない。

ここの住人はみんな同じ一泊二五ドルを支払っている。その中には二食のメシ代とお湯代も含まれているハズである。しかし、使用人たちは一度沸かしたお湯をイギリス人たちが使い切ってしまうと、もう一度、お湯を沸かす気配はなかった。我々が抗議してもダメであった。

仕方なく、朝のお湯の使用を諦め、仕事を終えた夕方にお湯を使おうと思っても、もはや一滴も残っていない。また仕方なく自分で水を汲み上げ、自分で薪を買ってきてお湯を沸かす。私は滞在中ずっと、そうやって水浴びをしていたのである。

毎朝、バスタオルを腰に巻き、気ままにお湯を使うブラックマンさんを、みんな苦々しく思っていたのだが、女同士ということもあって、臨時支局員の安井氏がついにプッツンした。

「あんた、なに毎日シャワーを使ってんのよ！」

しかし、ブラックマンさんはワケのわからん理屈を喚《わめ》き散らし、まったく耳を貸さんのであった。

そして、ある朝、事件は起きた！　共同通信アフガニスタン臨時支局のドアのまん前に、白人のクソがてんこ盛りになっていたのである。ご丁寧に拭いた紙まで転がっている。なんで白人のものだとわかったかというと、メチャクチャ太いのである。

この屋敷にはイギリス人以外にも白人はいる。イタリア人のラファエロも、フランス人たちもいる。しかし、我々が抗議を繰り返すうちに日英関係は最悪になっていたのである。我々はＩＴＮの嫌がらせだろうと推理したが、イギリス人がするのを見ていたわけではない。

愛国者の皆様は、断固報復すべしと憤《いきどお》られることであろう。この地の教えに従えば「クソにはクソを」である。ＩＴＮのドアの前に見事なトグロを巻かせるべきであろう。

しかし、不肖・宮嶋、そのような戦いをしようとは思わなかった。イギリス人に屈服したのではない。それはどう考えても不毛というもんである。

それに我々はその巨大なクソを目の前にしながら平気で自炊ができた。もはや正常な神

毎朝、下宿の窓下でゴミを回収してくれる
ガキども。分別しなくとも文句は言わない。

経はとっくにブチ切れていたのである。

このようにお湯に飢えた外国人プレスのために、ジャボルサラジには雨後《うご》の筍《たけのこ》というほどでもないが、銭湯ができつつあった。しかも「BATH ROOM」と英語の看板付きである。この町にろくな通訳がいない証拠に添え書きは「WELCOM」である。

もちろん、まとも風呂を想像してはいけない。屋根のないボロ小屋にUNHCR（国連難民高等弁務官事務所）からガメてきたビニールシートをかけただけである。バスタブはない。仕切りもない。バケツ一杯五〇セントの湯をもらい、それをコップで掬《すく》って体にかけるのである。

しかし、それだけでもムチャクチャ気持ちエエ！　ただし、営業しているのは昼間だけなので、毎日というわけにはいかなかった。我々が取材を終えて戻ってくる時間に開いていれば、日課のごとく通ったであろうに。

浴びる水だけではない。飲む水もないのである。地元アフガン人がガブガブ飲む、パンジシール川の水や井戸水が、世界一清潔な国から来た日本人の腹に合うわけもない。やはり口から入れる水分は買うしかないのである、一本一ドルのペプシコーラを。バリバリのイスラム国で、ペプシを売っていること自体が不可解ではあるが、売っているのである。

当地のインテリたちはペプシを（Perfect Effort Preserve Support〈To〉Israel）と呼んでいた。タリバンも北部同盟もバリバリのイスラム、反イスラエルでは同じであろうに。

たまにはおいちいミネラルウォーターをキンキンに冷やしてゴクゴク飲みたいなどという、東京では当たり前の贅沢が、この土地では不可能なのであった。

轟《とど ろ》く砲音《つつおと》　飛び来る弾丸
匍匐《ほふく》前進　したたる血のり
壁をつらぬく不肖の叫び
「カメラは何処《いずこ》　眼鏡は何処」

不肖

第9章　轟く砲音、飛び来る弾丸！

――撃たれるほうはタマランぞ

フィルムはヘリに乗って

不肖・宮嶋、たしかに天下の共同通信と同じ屋根の下に暮らしてはいる。ときには一緒に自炊して同じ釜のメシも食う。しかし、それは下宿におるときだけである。昼間は何をしているかというと、当然、しっかり仕事をしているのである。

居候はしていても、仕事まで引っ付いて行く訳にはいかない。だいたい、共同通信をはじめアフガンにお越しの日本の大メディアの方々と私では締切が違う。彼らには毎日何回も締切、中継があるが、私には締切がない。

週刊誌だから、本当は週イチの締切があるのだが、私が編集部に連絡してもロクにいらっしゃらないのである。たまに連絡がついても「来週、入稿《いれ》ますので、フィルムと原稿を送ってください。ガチャン」でお終《しま》い。つまり実質、締切なんぞないようなもんなのである。

それになあ……、あのなあ……、この地から原稿を送るっちゅうのが、どれほど発狂するルートを辿っていくのか解っとんのかあ？　オノレらは暖房のきいた編集部で持っとったらエエんやろけど、送る身になってみい！

不肖・宮嶋、恥ずかしながらＩＴオンチである。イットオンチの森前首相も顔負けのドハズレオンチ。メールアドレスはあるが、届いたメールを一人では開けん。返信を出すなんて、ぜぇーったいムリ。故にデジカメで撮ってインマルで送るなんて、チンプンカンプンなのである。

ほんじゃあ、送稿はどうしているかっちゅうと、原始的にフィルムを人間の手で運んでもらうのである。あるときはドシャンベのＤＨＬで東京へ配送。あるときは帰国する日本人同業者を拝み倒し、モスクワ経由東京までハンドキャリー（荷物に一緒に詰めてもらう）してもらうである。

同業他社の皆様はみーんなデジカメである。現像も電送機もなしである。デジカメからディスクを引っこ抜いてパソコンにぶち込み、インマルに繋《つな》ぐと数分後にその映像が世界に配信されてしまうのである。

私は二〇三高地でロシア軍の新兵器・機関銃の威力を目《ま》の当たりにした乃木希典《のぎまれすけ》大将の心境であった。写真は銀塩でなければならぬとこだわっている時代ではないのであろうか。このままでは、私は織田軍鉄砲隊に敗れた武田騎馬軍団になるであろう。大艦巨砲主義に固執してアメリカの海上航空戦に敗れた帝国海軍と同じ運命を辿るであろう。しかし、でけんもんはでけんのである。

というわけで、私は愛機EOS—1Vで撮影し、フィルムを編集部に送るという原始的手順を踏襲《とうしゅう》し、孤独な戦いをせねばならんのであった。

バッタカメラマンの取材手順

ここからカブール入城までは、いよいよ一人で仕事をするのである。当然、通訳と運ちゃんは雇う。ダリ語なんぞ、さっぱりわからんし、この地にはレンタカーなんぞない。あってもムリである。ひとつ道を間違ったら、たちまち地雷にぶっとばされる。

通訳も運ちゃんもアスタナの出張所小屋から引っ付いてきたのを引き続き使うことにした。そのプライス……、なんと一日一五〇ドルである。平均月収が二ドルと言われる国で、である。内訳はトヨタのピックアップトラックと運転手に一〇〇ドル、そしてファイザバードのアホよりちょっとマシな通訳に五〇ドルである。

進むのに注意すべきは南だけである。東は行きたくても行けない。あのアンジュマンの山だから、行こうとも思わん。

北も同じである。北の戦略上の重要な町マザリシャリフ周辺にはまだタリバンがウヨウヨだし、その手前のサラン峠のトンネルが塞《ふさ》がり、アンジュマンの山と同じ状態なのである。西も同じような状態である。まぁ、行こうと思ったら相当な覚悟がいる。

南の首都カブールでは、まだタリバンがブイブイ言わせているが、近付こうと思えば、中間地点の町チャリカルまでは車で行ける。

最前線はそのチャリカルからチョイ東寄りにあるバグラム空軍基地で、ここの滑走路を挟んでタリバンと北部同盟が一進一退を繰り返している。この前線はババジャンという北部同盟のジェネラル（将軍）が仕切っていて、現在は公式的には我々は立ち入れない。公式的には、である。裏から行けば、ちゃあんと行ける。

そしてジャボルサラジ周辺はどこでも取材自由かというと、そうではない。ダリ語を話せる安井浩美氏のような方や、バリバリの優秀な通訳を駆使して多少でもコネのあるコマンダーやジェネラルに話をつけられる方は可能だが、そうでない場合はムリである。

で、私のようなバッタカメラマンはどうするかというと、北部同盟の外務省小屋に出かけ、副長官というフレコミのアジカハールというおっさんにパーミッションをもらうのである。小屋の中でアフガン・カーペットに胡座をかいているアジカハールに取材の主旨を伝え、その町に行くパーミッションという名のメモ書きを受け取るのである。もう本当にメモ書き。何が書いてあるのかもさっぱりわからんダリ語である。

それを引っ摑んで目的地の村まで行き、その村を仕切るコマンダーにメモ書きを見せ、目的地のあたりを仕切る別のコマンダーのところに連れて行ってもらい、やっとこさ、そこで仕事なのである。ちょいと隣村に行くのに、それだけの手間がかかる。したがって、私のようなコネもへっちゃくれもないバッタは毎朝、外務省通いなのであった。

映像崇拝

朝は銃声とともに目覚めるのが戦地の常であるが、この地では、それにスズメの鳴き声のようなガキどもの歓声が加わる。もちろん時節柄、登校中のルンルンガキではない。我々が放り投げるゴミを目当てにやってくるガキどもである。ペプシの空き缶、残りもののナンなどを窓の外にポンポン投げ捨てると、きれいに持ち帰ってくれるのである。これぞ究極のリサイクル運動であろう。

私が目を覚ますと、毎朝きっちりヒゲ面の通訳（とうとう最後まで名前を覚えなかった）が枕元で胡座をかいていた。まるでイスラムの国のサンタクロースである。

「ダンナ……、そろそろ出動だっちゃ！」

「ああ……、メシ食ってからな」

共同通信の支局でナンとハチミツもどき、使用人の機嫌がいいときにはゆで卵を頬張り、よいしょっと上着を羽織る。昼間はまだ暖かいが、朝夕はけっこう冷えるのである。そしてこの地の必需品マスード・マフラー（またの名をムジャヒディン・スカーフ）を首に巻いて、アフガン取材ルックの一丁上がりである。

下宿を出て上の道に上がるだけで息が切れる。身体中からアルコールが抜け、早寝早起きの不肖・宮嶋であるが、カメラが東京より重く肩にのしかかる。トシだからではない！　ここジャボルサラジが富士山の五合目より高い所だからである。

よっこらせとトヨタの後部座席にカメラバッグを放り込み、ヒゲの通訳の背もたれを蹴り上げて「外務省！」。毎日、この繰り返しである。この日はタリバンの捕虜収容所に行くことにした。途中の村にマスードの故郷があるので、行きがけの駄賃にマスード・トム（墓）も取材しようというシブい行程である。

外務省小屋での手続きを済ませると、トヨタはすさまじい砂埃を上げてアンジュマン峠の方向に向かった。途中、ジャボルサラジを抜け出たところに検問所があり、ゴソゴソ這い出てきたニィちゃんに二〇ドルで買ったプレスカードを見せてゲートを開けてもらう。来るときに見た国内難民キャンプのブルーのシートが広がっている。放置された戦車の下に住み着く難民どもがいっせいに駆け寄って来る。北部同盟の戦車置き場を過ぎたあたりにイタリアのＮＧＯによる巨大な病院が現われた。

ジャボルサラジで肝炎やマラリアに倒れた同業者は、この病院に運ばれ、どういうルートかわからないがドシャンベに戻されるのである。

マスードの故郷の村はパンジシール川の畔《ほとり》にあり、その村の丘に立派な墓が出来上がりつつあった。丘に上がって見下ろすと、猛烈な砂嵐が私の顔を襲う。素晴らしいというか、すさまじい自然環境である。しかし、それ以外には、なあ〜んもない。

いや、日本になくて、ここにあるもの……がある。今や日本人が失くしてしまったものが、この地にはあるのかもしれん。

北部同盟のカリスマ的指導者マスードは二〇年以上もソ連やタリバンを悩ませ続けてきた英雄である。しかし彼が兵や人民から慕われたのは、本当に戦略が上手かったからというより、その人格からではなかろうか。

イスラム教のこの国には酒がないが、その代わりにマリファナがある。村々の売店ではどこでもマリファナの粉が堂々と超チープで売られており、いい年をしたヒゲ面のおっさんがペロペロして、ヘロヘロしている。

しかし、マスードは兵にマリファナの使用を許可しなかったのである。たったそれだけの理由で、マスードの軍隊は人民から尊敬された。人びとはマスードの写真を、毛沢東の御神影のように家や商店、果ては車のフロントガラスにまで貼っている。どうやって運転するのだろうかと思うくらいでっかい写真をフロントガラス正面にのりでベタッと貼り付けているのである。

イスラム教はご存じのとおり偶像崇拝を禁止している。だからタリバンはバーミヤンの遺跡を爆破し、インドネシア政府はマホメットの絵の載ったニューズ・ウィークを発売禁止にしたのである。それなのに、なぜマスードのにっこり微笑んでいる写真が存在し、人びとがそれを崇《あが》めているのであろうか。アフガン七不思議の一つである。

マスードの写真は、おそらくタジキスタンかイランあたりで大量にカラーコピーされたものであろう。その孫コピー、曾孫コピーが流通しているのである。

長倉洋海氏はマスードの唯一、しかもハイクオリティな歴史的にも芸術的にもバリバリの写真集を出したが、おそらく同氏の写真も大量にコピーされて出回っているのであろう。一冊でも北部同盟の手に渡れば、たちまちコピーされるに違いない。著作権もへっちゃくれもない国なのである。

マスードは敬虔なイスラム教徒であったから、当然、偶像崇拝なんぞ認めるわけがない。オノレの写真がこうやって出回り、崇拝されていると知ったら、あの世で何と言うであろうか。

もしかしたらマスードの写真はアフガン人民にとって一種の魔除けのようなもんなのかもしれない。特に北部同盟支配地域では、これを貼っておいたら、北部同盟のゴロツキから嫌がらせを受けないだろうという――。

マスードは九月（二〇〇一年）に北部のホジャバハウディンでテレビの取材を受けている最中、テレビクルーに化けたアラブ人の自爆テロに遭って命を落とした。だから、その後に起きたあのテロ事件、そして米軍のアフガン空爆は見ずにすんだ。幸運にも、と言うべきであろうか。

自爆テロはともかく、この大地に眠っているマスードの人生は幸福だったのかもしれない。彼にはコンビニもケータイもなかったかわりに、オノレの生命を賭けてでも守ろうとしたものがあった。この川の畔の故郷の村、そしてアフガニスタンという国をソ連やタリバンから守ろうとしたのである。マスードだけではない。ともに戦った多くの、本当に多くの若者に、命を投げ出してでも守るべき故郷と国があったのである。

兵士たちの集会。長老のありがたいお説教中に、私のカメラが気になってこちらを向いているヤツもいる。

車に貼られたマスードの写真。他に貼る場所もあるだろうに、助手席のフロントガラスに。

昭和二十年の八月十五日まで、日本人もそうであった。しかし、それ以後、大多数の日本人は命懸けで守るものを失った。命掛けで守るものがなくとも、平和でゼニがあれば、人間は幸福になれるのであろうか。

この何もない大地には何万人もの血が染み込んでいる。この世にイスラム教なかりせば、そのほとんどは死なずにすんだのではなかろうか。

同じ意味で言うと、イスラム教徒の皆さんには相当失礼だが、この世にオウムいや麻原がいなければ、少なくとも六〇〇〇人以上の被害者は出なかった。逆に、宗教によって本当に命を救われたという人を私は知らない——。

工事中のマスードの墓の前でオデコをスリスリする地元の衆を見下ろしながら、ちょっぴりブルーな不肖であった。

脱出する人、残る人

マスードの故郷の村を後にした車はさらに川を遡行《そこう》し、やがて見慣れたアスタナの外務省の出張所兼ゲストハウスに着いた。ここに旧友がおるハズである。

土壁の間の朽ちかけた木製のドアをギギーッと開けて中に進む。来たときと同じく庭にはソ連製のＡＰＣ（装甲車）が引っくり返り、その傍に清流がサラサラ流れている。そのＡＰＣの車輪に腰掛けて、水を見ている人物に覚えがあった。

「お！　小西はん！」

「おお！　宮嶋さん！　やっと着きましたね♥」

空爆下のユーゴの戦友、小西カメラマンである。読売新聞ロンドン支局から来た彼はドシャンベのアフガン大使館から、我々より一足先にファイザバード行きのフライトに乗った。そして、もう早々に脱出するためにここでヘリを待っていたのである。

「宮嶋さん……、なんで私たちは、この広い世界のとんでもないところばっかりで再会するんですかねえ……」

おかしい……、感慨深げな言葉がどうも大陸的で同業者っぽくない。この地の風土に完全に馴化《じゅんか》してしまったのであろうか。

「このゲストハウスに来てどれくらいでっか？」

「まだ三日目ですよ」

「み、みっかぁ？　ほれで、ここで何してまんのや？」

「そら、そこの小川のメダカ見てたんスよ」

「メ、メ、メダカあ？」

池乃めだかではない。川のメダカである。

「モスクワの花田はんは？」

読売新聞モスクワ支局の花田記者も一緒だったハズである。

「帰りましたよ、三日前に」

「もう？」

「ええ、アブドラ外相がドシャンベに行くヘリに一緒に乗って、一日も待たずに」

「はぁ……、ほれで小西はんはいつ帰りますのや？」

「さあ……」

「あのお……、誠に言いにくいんでっけど……、ちょっと荷物になりますやろけど……、フィルム持ってってくれまへんけ？」

「ええ、おやすい御用ですよ。でも、いつロンドンに戻れるもんやら。宮嶋さんわかります？」

私はプルプル頭を振った。

「ドシャンベにＤＨＬのオフィスがおますんで、そこにブチ込んでいただければ……」

「ボクねえ……、タジク（ドシャンベ）から陸路でキルギス（旧ソ連の共和国の一つで冷戦終結後独立。日本人技術者が誘拐された事件で有名）のビシケク（キルギスの首都）に入ります。ハイアット（ホテル）ができたんですって。そこでワイン飲みながら真っ白なシーツにくるまって寝るんですよ。そしてビシケクからロンドンへの直行便に乗って……」

「…………」

羨ましいというか、なんというか……。しかし、私もいつかこの地を出る日が来るのである。それまで命があれば、であるが。その時には彼のような心境に落ち着くのであろうか。私は鉛のシールドに包んだフィルムの束を小西カメラマンに託し、先を急いだ。

フィルムは、いつかは知らないが、あのパンジシールの山を飛び越え、ドシャンベからフランクフルトあたりを経由して何万キロも飛び、暖房のきいた紀尾井町の編集部に届くであろう。無事にいけば、である。

捕虜収容所の中国人タリバン

アスタナ・ゲストハウスを出てしばらく行くと、川の向こうにドアブ捕虜収容所が見えてきた。トヨタはかまわず川の中をジャブジャブ進んだ。屋根の上にカラシニコフを抱えた数人のムジャヒディンがいる。タリバンの捕虜が何百人もいるというのに、あれで大丈夫なのであろうか。

パーミッションを見せると、早速、中に通されたが、収容所の中というのはやっぱり檻《おり》の中である。世界中でいろいろな檻を見てきたが、こうも堂々と檻の中に入るのは初めてである。

所長はひっきりなしにやってくる外国人ジャーナリストどもに飽き飽きしているのがミエミエ。いきなり私の腰に下がっているガーバーの十徳ナイフに目をつけて、なんだかんだと言う。つまり「それをくれ」としつこいのである。

「これからここに何日おるかわからんので、やるわけにはいかん!」

何度もハッキリそう言っているのに、聞く耳持たんのである。あまり邪険にして、ここから出してもらえなくなるとイカンので我慢していたが、ホントにしつこい。このナイフはイザという時には賄賂にもなる、私の最終兵器なのである。ここでこんなクズ所長にくれてやるわけにはイカンっちゅうの!

内部には、さすがに収容所というだけあって、しっかり鉄格子の檻が並んでいた。しかし、檻に面して庭があり、のんきに花に水をやっているタリバン捕虜がいる。捕まってい

タリバンの捕虜たち。おとなしくしているが、
転向していないのは顔を見ただけでわかる。

る連中はみんな静かだが、顔を見ると目つきが完全にイッている。

怖い……、テロ事件前からとっ捕まっている筋金入りのタリバンが、この谷間の収容所に三〇〇人以上も詰め込まれているのである。

所長によるとアフガン人だけでなく、パキスタン人、イエメン人、イラク人、トルコ人と、外国人タリバンまで揃っているという。そしてなんと、中国人までいるというではないか。早速、所長に頼んで引っ立ててもらった。

二人の中国人は格好こそムジャヒディン・ルックだが、顔は完全に東洋人である。英語で質問してみるとまったくダメ。ダリ語の通訳を入れるとちゃんと答えた。なんでもカブールの大学に留学していたらタリバンに入れられてしまったのだという。

やはりタリバンっちゅうのはオウムにそっくりである。こいつらはもう転向していて「早く国に帰りたい」などと根性のないことをコイている。

それにしても中国人というのはゴキブリのような連中である。福建省から日本に密入国してくるだけでは飽き足らず、タリバン擬《もど》きになってアフガンにまで入り込んでいるのである。中国政府はちゃんとこの事を知っているのであろうか。

この中国人以外はほとんどみんなバリバリのイスラム原理主義者であった。レンズを向

私の前に引っ立てられた中国人タリバン。
今さら「国に帰りたい」なんてコクな！

けると、刺すような視線を返してくる。いったい、この非転向ぶりはどうであろう。もちろん、嫌気が差して投降してくるタリバンもいるのだろうが、こいつらは明かに違う。
訳のわからんことに、この収容所はタリバンの支援で運営されているそうで、なかなか住み心地はよさそうである。

少なくとも私と共同通信の下宿よりも清潔だし、メシもうまそうであった。しかもコーランの勉強もできるし、大好きなお祈りもできる。どっちも所長が認めているのである。いったい彼らは檻の中で、アラーの神に何を祈るのであろうか。

衝撃とともに体が浮き上がった！

数日後、チャリカルの村へ出掛けた。前述のとおりカブールへの中間地点である。まず、このあたりを仕切っているボジャマディン司令官の邸《やしき》に向かった。司令官にパーミッションをもらい、エスコートをお願いするのである。

藤のような植物が植えられ、清流まで流れている庭で待つことしばし、やがて銭湯（バケツ風呂）帰りの司令官が現われた。朝湯である。内戦中だというのにのんびりしたもんである。

鉄格子越しに水をやるタリバン捕虜。
花はピンクのコスモス。

「やあ……、待ったかい？」

私より上手い英語であった。それもそのハズ、ロンドン留学帰りである。

「ノー、サー」

「悪いなあ……、君の前にCBSロンドンのインタビューの約束があって、それが済むまで待ってくれないか……？　あっ、その間、この前オレがパクッたタリバンの捕虜を連れてくるから、そいつらにインタビューしておいてくれ」

「……、イエス、サー」

捕虜が引っ立てられてくる前にピックアップトラックに乗ったイギリス人一行が現われた。CBSのクルーである。でかい三脚やライトを引っ張りだし、屋敷の庭や邸内にカメラをセッティングしはじめた。黙って見ていると、リーダーらしきヒゲ面がガンを飛ばしてきた。

「君は？」

「へへへ……、日本のしがないマガジン・フォトグラファー（雑誌カメラマン）ですわ……。皆様の取材が終わるまで、庭でカスタリバンの写真を撮ってますさかい、どうぞごゆっくり」

相手はCBSである。この戦争に直接参戦している国の大メディアである。イージス艦出動を躊躇《ためら》う国の国民である私は思わず卑屈になるのであった。

そして二時間ほどが経過し、CBSのクルーが機材を撤収しはじめた。やっとインタビューが終わったのであろう。ゾロゾロとトヨタの荷台に機材を積んでいた、その時であった。

ドッカーン！

突然、もの凄い轟音《ごうおん》が響いた。全員が顔を上げる。近い！　別に砲声なんぞ、この地ではスズメのさえずりみたいに日常である。しかし、これは異常に近い。この近くに北部同盟の砲台があったっけ？　などとノーテンキに考えていたら！

ギュルルル……という音があっという間に大きく聞こえ出したかと思うと、ゴーッという轟音に変わった。その瞬間、私は地面にヘッドスライディングした。そして腹の底まで揺らす凄まじい衝撃とともに体が一〇センチくらい浮き上がった。

「砲撃だあ！　タリバンのアタックだあ！」

兵士たちがカラシニコフを引っ摑んで火事場のように走りはじめた。屋敷のすぐ隣から黒煙が吹き上がっている。

(こ、こ、これが砲撃かあ……)。

不肖・宮嶋、砲撃を受けるのは初体験であった。映画の砲撃シーンで「ヒューン!」という空気を切り裂く音がするが、あれは本当である。ただし、こちらが撃たれる場合は、その「ヒューン」があっという間に轟音に変わる。砲弾がこっちに向かっているからである。そして指揮官が「危ない、伏せろ!」なんて叫ぶが、あれはウソである。人間、そんなもん言われんでも、本能的にヘッドスライディングしてしまう。

よっこらせっと服の土を叩きながら、余裕をかまして、立ち上がる。長袖長ズボンだったが、肘や膝から出血している。

(そうや! せっかくやから、着弾地点の取材に行こ! すぐ近くやし……)

カメラを抱えてゲートに向かおうとする私にボジャマディン司令官の叱声《しっせい》が飛ぶ。

「ダメだ! 続けて来る!」

(ほんなアホな……)

ドッカーン!

「ふ〜ん?」

再び空を見上げた。ウソやろ? もう一発かぁ?

フェー……、ビュー……、ガガオオ～！

再び砂利の上にヘッドスライディングする宮嶋であった。この二発の砲弾は正確に言うと、ＲＰＧ－７によるロケット弾攻撃であった。かの北朝鮮の不審船が海上保安庁の巡視船にぶっ放した、あの対戦車ロケット砲である。

撃ち込んだのは言うまでもなくタリバンである。チャリカルの西のタリバン支配下の村からブチ込んだのである。

ここがボジャマディン司令官の邸だということはタリバンだって知っているであろう。とすれば、どうみたって、この砲撃は、私たちのいるこの邸を……。

私もＣＢＳのクルーも「危ないから出るな」というボジャマディン司令官の指示に従って邸内に留まった。

しかし、この邸を狙った砲撃なのだから、ここに留まるのは一番アブナイのではないだろうか。それとも、今、邸外に出ればどこかから狙撃されるのであろうか。

そのような疑問はあるのだが、百戦錬磨の司令官が「留まれ」と言うのだから、留まるべきなのであろう。我々は余裕をカマして、しばらく邸内で昼寝をしていた。

やがてボジャマディン司令官はＣＢＳのクルーをランチに招待し、床にはケバブの皿が広げられた。一緒に戦っている国のジャーナリストにはメシまで出るのである。それに比べてイージス艦の派遣くらいでグダグダ言っている国は……とヨダレを垂らしながら見ていたら、すぐに私にもお呼びがかかった。ありがたいことである。

しかし、我々が昼寝をし、ケバブに舌鼓《したづつみ》を打っている頃、着弾地点ではドえらいことになっていた。この邸のわずか五軒隣のマーケットで、対戦車ロケット砲の弾頭がタマネギ売りのおっさんの頭部を直撃して爆発、傍《かたわら》にいたガキも含めて二名が死亡。多くの市民が負傷していた。現場は血まみれの市民がタマネギの散乱する市場の中を走り回り、もうすさまじい修羅場だったのである。ただちにジャボルサラジから、AP、ロイター、そして共同通信も駆けつけ、このニュースは全世界に配信された。

血まみれの首なし被害者が担ぎ出され、その光景を各国のカメラマンが撮りまくっている時、わずか五軒隣の邸にいた不肖・宮嶋は、昼寝をしていたのである。ケバブを食っていたのである。残念なことであった。

撃たれるほうはタマラン

午後になって、ボジャマディン司令官はようやく腰を上げた。

「よし！　リベンジだ！」

「へ？　どこへ行くんで？　サー」

「ライシ村！　オレの生家がある」

（はあ……？、なに考えとんど、このヒゲ面は？　こんな時に生家？）

私は思わず浮き上がっていたケツを、ドッカと落とした。

「さっきのタリバンの奴らのいる最前線の村だ！　日本人！　行くか？」

「へ？　イエッサー！」

私はガバッと勢いよく跳ね上がった。こういう時のために一日一五〇ドルも払っている車である。私の車に司令官の部下たちが、オーナーである私にことわりもせず、ドドッと乗り込んできた。もう荷台までテンコ盛りである。

司令官がCBSの車に颯爽と乗り込むと、一行は一路、南に向かった。チャリカルの村を出て、さらに南下、メインのカブール・ロードを西に折れた。カブールまでわずか二〇キロほどの最前線である。丘の陰には北部同盟の戦車や砲台が、砲身を南に向けて息を潜めていた。頭上はるかにソニックビームの連続である。ときどき南のカブールの町にキノコ雲が上がり、数十秒後に衝撃が伝わってくる。

車は前の車の轍《わだち》を注意深くトレースしながら走る。ちょいとでも迷うと地雷原である（後日、地雷処理のNGOについてこのあたりに来たが、一〇分ごとに地雷が見つかっていた。上巻49ページ参照）。

小さな村で止まった。村の中は道が狭いため、徒歩でしか進めないのである。川を渡り、畑の縁を伝う。ガキがスキップしながらついてくる。延々と歩き続けて、やっと視界が広がった瞬間、すさまじい砲声が轟《とどろ》いた。

「近い！　近すぎる」

頭をすぼめてから納得した。こちらの陣地がぶっ放しているのである。一キロほど離れた村の一軒から土煙が舞い上がった。あの下に人間がいたならバラバラになってブッ飛んだハズである。そこらじゅうの土壁の陰にムジャヒディンが機関銃やロケットを抱えて身を潜《ひそ》めている。

「もっと近くで見たいか？」

司令官の言葉に、私の前を歩いていたCBSのエンジニアが恐る恐る頷《うなず》く。

「土壁に沿って歩け。向こうの村が見える壁の切れ目には注意しろ！　人影が見えたら撃ってくるぞ！」

（ちょ、ちょい待ってくれ！　まだ心の準備が……）

「ほれ！　向こうの大きな家がオレの生家だ！　あそこでインタビューするかぁ？」

司令官は曙《あけぼの》そっくりのイギリス人レポーターに向かってニッと笑うなり走り出した。

「おい、ウソだろ？」

レポーターは頭を抱えたが、カメラマンは本能的に反応した。曙レポーターが首を振り振り追い掛け、私もそれに続く。そして私の後ろからはランボーのように機関銃を腰だめに構えたムジャヒディンが続いた。土壁に辿り着いたホジャマディン司令官がピタッと張り付いて身を隠す。そしてCBSのカメラマンが土壁の陰に飛び込んで、後に続く我々のほうにレンズを向けた瞬間、空気を切り裂く音がした。

ヒューブーゴー！

朝、司令官の邸で聞いた、あの音！　一発やない！　複数！　近い！

（壁までずいぶん距離が――）

私の身体は勝手にヘッドスライディングした。体じゅうに衝撃がきた。近いなんてもんやない。隣で土煙が舞い上がっとるやないか！

集中砲火や、アカン！　目が見えん。膝がべっとり濡れている。

あっ、カメラがどっかに飛んでしもた。体が軽い。アカン！　レンズを落とした……。

そんなことより逃げな……。

「ストライク、バア～ック（反撃しろお！）」

曙レポーターが叫んでいる。怖い！　アカン、足が竦《すく》んどる。

「クイックリー！　クイックリー！」

司令官が手招きする。そんなこと言うたかて……。足が……。

ヒューブーゴー！

再び音がする……。イカン！　こんな遮蔽物《しゃへいぶつ》のないところで伏せていても、至近弾《しきんだん》くろうたら、ひとたまりもない。私は肘の痛みも膝の痛みも忘れ、必死で匍匐《ほふく》前進した。ようやく土壁に辿り着く。ハアハアハア……。怖い！　オトロシイ！　体の震えが止まらん。

「もう少しだ。壁伝いに進むぞ。切れ目でけっして立ち止まるな」

（そんなもん、誰が止まるかえ！）

そういえば、映画「スターリングラード」で主人公の師匠が、崩れ落ちた廃工場の壁の隙間を飛び越えた瞬間、待ち伏せていたエド・ハリス扮するドイツ軍の凄腕スナイパーにどたまをブチ抜かれるなんていうシーンがあった。

冗談やない。誰や、前線は膠着《こうちゃく》しているなんて抜かした奴は……。こりゃあ……、落としたレンズの保険は下りるんやろなあ……。妙に冷静なことも頭に浮かぶ。

覚悟を決めて飛び出す。五〇メートルほどを全力疾走して、分厚い土壁に囲まれた安全地帯に飛び込んだ。息を潜めて退避していた一〇人ほどのムジャヒディンが声を立てて笑った。

血だらけで、顔面は蒼白であったろう。しかし、これは笑いごとやない。ちょっと運が悪ければ死んでいたのである。

（アカン……、こいつら、やっぱ、戦争ボケや）

それにしても、砲撃っちゅうのは、ぶっ放すほうは威勢があってなかなかエエもんだが、撃たれるほうはタマランもんがある。こりゃあ、ホントにシャレにならん――。

撃たれる奴に銃声は聞こえない

タリバンの砲撃が止《や》んだ瞬間、土壁の陰に潜んでいたムジャヒディンたちはクルリと身を翻《ひるがえ》し、土壁から体を乗り出した。もちろん丸腰ではない。肩にしっかりＲＰＧを抱えて、である。そしてそこらじゅうからすさまじい砲声が上がった。オレンジ色の炎を噴き出しながら、流れ星のようにロケット弾が向かいの村に向かっていく。

向かいの村のいたる所で土煙が上がり、続いて着弾の衝撃音が連続的に届いた。三倍返しくらいか……。彼らの視力がいいのは知っているが、どうみても正確に着弾観測しとるとは思えん。少しでも動くものがあったら、そのあたりにバカスカぶっ放しているようである。

「ガッハッハハハッ！」

司令官が私の顔を見て笑い出した。

「オレの体なんかもう破片だらけだ。いいか、砲声が聞こえるということはタマが当たらない。つまり死ぬわけがないということだ。意味わかるか？」

もちろん頷いた。私だって伊達《だて》や酔狂《すいきょう》で射撃をしているのではない。カラシニコフ、M－16ともに弾丸の初速は約九〇〇メートル（秒速）、つまり音速の約三倍弱である。だから撃たれる奴に銃声は聞こえていない。当たってから音が続くのである。

司令官はそのことを言っているのである。しかし、RPGはライフルと違う。ロケット弾はその弾頭自体に推進力を持っていて、轟音を発しながら飛んでくるのである。したがって、初速はライフルよりはるかに遅い。だから私は怖がったのである。

ＰＫＭ軽機関銃を手に土壁に掛け上がる
ボジャマディン司令官。

バイポッドを土壁に乗せて、次の瞬間、
弾が切れるまで撃ちまくった。

「それじゃあ……、と……、反撃するか！」

立ち上がった司令官に部下のムジャヒディンたちも続く。

「ついてこい！」

（また……、走るんか……？）

最前線のさらに最前列、バリケード代わりになっている、穴ぼこだらけの土の屋敷に皆が飛び込んだ。司令官は部下からＰＫＭ軽機関銃を受け取ると、颯爽と敵側に面した壁の影に身を躍らせ、チラッとタリバンの村に視線を投げた。そして、いきなり壁の上に半身を上げ、機関銃のバイポッド（二脚）を壁に乗せ掛けた。

（ようやるで……、隙間から顔を出すのさえビビるっちゅうのに）

あれでは上半身を敵に晒《さら》すことになる。私のカメラの前でイチビリたいのはわかるが、隣村のいちばん近い家までどう見ても五〇〇メートルはある。動いている人が見えるかどうかという距離である。この不肖・宮嶋の腕を以てしても、当たるかどうか。こんなとこから撃っては、わざわざこちらの位置を教えてやるようなもんである。

しかし、次の瞬間、給弾ベルトが跳ね上がり、空薬莢がすさまじい勢いで散乱した。司令官はすさまじい形相である。

やっぱり恐ろしい形相になる。
平然と撃たれても怖いけれど。

（あんなんで当たるんやろか？）

どう見たって、動いたところ目掛けて、適当にありダマをブチ込んでいるとしか思えん。一〇〇発の給弾ベルトがものの十数秒で空になった。

（こりゃあ、相当、潤沢に弾薬が北部同盟に流れ込んどるわ……）

次は部下がRPG－7を手渡した。そしてほとんど狙いもせず、いきなりドッカーンとぶっ放した。すさまじい衝撃である。周囲の地面から土煙が上がったかと思うと、司令官のケツのあたりにバック・ファイアが噴き出した。

親分に続けとばかり、陰に隠れていた手下たちも次々と壁から上半身を出してRPGをぶっ放し始めた。すごい！　RPGのつるべ打ちである。だいぶ暗くなっていたが、向かいの村にいくつもの土煙が上がるのが見えた。

（いったい、あの下で何人のタリバンが死んだのであろう――）

司令官はもはや我々なんかにかまってはいなかった。狂ったように次から次へとRPGを手に取っては撃ち、撃っては手に取った。RPGは単発であるため、手下が下でタマ込めをして渡すのである。

二時間後、我々は真っ暗な村の路地をトボトボ歩いて帰った。最前線の真っ暗な村にも人の気配がある。ここに来るまで、最前線の村というのは銃声砲声に怯《おび》え、緊張した雰囲気がビシビシ……、なんて思っていた。しかし、そうではない。

村のガキどもやニィちゃんたち（ネェちゃんは北部同盟支配下の村でも日が暮れたら外に出てこない）が「ワァーイ！　ゲェジンがでっかいカメラ担いで来たどお！」みたいな歓声を上げて、いつまでも付いてくる。それも二人や三人ではない。私たちを見物するガキどもはどんどん増えて、細い路地が歩きにくいくらいであった。これが戦争ボケの土地柄なのである。

いったい、戦況はどないなっとるんやろう？　私はあと何日、この国におるハメになるのであろうか。わが祖国は相変わらず平和ボケの惰眠《だみん》を貪《むさぼ》っているのであろうか。

しかし、疲れた。

第10章　儂《わし》は舞い上がった

——陸路で帰るゼニもなく

今日も暮れゆく異国の川に
ヘリは来なかろ　飛ばなかろ
かくまで博打に敗れては
もはや陸路のゼニもなし

不肖

ボッタクリ地下金融

ジャボルサラジはまさに戦争バブルの真っ只中であった。勤倹を旨《むね》とする不肖・宮嶋の懐《ふところ》からでさえ、羽が生えたようにゼニが飛んでいく。車と通訳に一日一五〇ドル、あの腐れ下宿に二五ドルである。つまりなーんもせんでも、一日二万数千円のゼニが消えていくのである。

アップアップしているのは私だけではない。もっと悲惨な方々もいらした。アジアプレスの綿井氏と産経新聞の佐藤記者である。綿井氏は民放のレポートを毎日こなしているが、この地にゼニが届く訳ではない。最近、夕刊を出さなくなったとはいえ、朝日なんぞよりずっとマトモな全国紙の記者も、この地に取材費が届くわけではない。

まぁ、二人ともアフガン入国時に手持ちの現金が二〇〇〇ドルを切っていたというから、もともとムボーにしてビンボーなのである。バッタカメラマンの私ですら、東京を発つときは一万ドルのキャッシュを懐に入れていたというのに——。

ここには銀行なんぞない。チェックもカードもゴミである。したがって、この地でキャッシュがなくなることイコール難民になることである。と思っていたら、これが私の驕《おごり》というか、甘さであった。

この方程式には、難民になる以外にもいくつかの解《かい》があったのである。まずジッとしているという手があった。取材費、生活費を極限まで切り詰め、北部同盟がカブールを陥落させるまで、そしてパキスタンへのルートが開くまで耐えるのである。

現に綿井、佐藤両氏はそのようにして民放にカブール入城のレポートを送り、本社にカブール発の原稿を送り続けた。ポケットの残金数十ドルを握り締めながら、である。

ただし、これには覚悟がいる。待つという選択肢はあっても、それがいつまでなのか、この時点ではわからなかったからである。

だから、この二人は相当な覚悟の持ち主、あるいはゼニが完全に切れたときのことを考えなかったアホ、このどちらかである（私は前者だと信じています！）。いずれにせよ、ビンボーに耐えつつしっかり仕事をした二人はエライ！

彼ら二人だけではなく、ピーピー言っているジャーナリストはゴマンといた。キャッシュが切れそうなのに、この地に留まろうとすれば、取材や仕事なんぞ二の次である。一日の大半を金策に費《つい》やす者も少なくなかった。

しかし、この地で「東京に戻ったら二倍にして返す」などと言ったところで、多重債務者の「パチンコで儲けて返す」という言葉より説得力がない。

このような各国のビンボー・ジャーナリストを見て、北部同盟が思いついたのが地下銀行である。二つ目の解はこれである。北部同盟のラバニ政権はいくつかの国に大使館を置いていたが、その一つにロンドンがあった。そのロンドンの大使館にゼニを預ければ、ジャボルサラジの外務省小屋でドル・キャッシュが受け取れた。一言で言えば為替《かわせ》である。

北部同盟がビンボー・ジャーナリストのために、なんて思ったらアマイ。その手数料、なんと二割！　つまり五〇〇〇ドルをロンドンで預けると、ジャボルサラジで受け取れるのは四〇〇〇ドルなのである。

私は外務省小屋に通い続けるうちに、外務省副長官アジカハールからゼニを受け取るレポーターを何人か見て、この仕組みを知った。彼らは二割の手数料の領収書をアジカハールに書いてもらい、ホォーという溜め息とともにキャッシュを受け取っていた。

ベラボウな手数料だが、いざとなればキャッシュが欲しい。可能なら私も地下銀行を使いたい。しかし、受け付けているのはロンドンの大使館だけである。

つまり利用できるのはロンドンまでゼニを運ぶ甲斐性のあるメディアだけ。私が週刊文春の編集部に頼んだら……、やめよう、虚しい仮説である。

それに、ロンドンにゼニを置いたからといって、すぐに引き出せるわけでもない。二週間以上はかかるであろう。そもそも電話がない国なのだから、ロンドンからの支払い許可がスンナリ届くとはとても思えん。

許可が届いたとしても、ジャボルサラジの外務省小屋に何千ドルものキャッシュが常時プールされているハズもないのである。我々が払うビザの手数料やチーティング・トムが集金した宿代が溜まってからであろう。早い話が、私には利用不可なのであった。

オナニー・レポート

日に日に減っていくキャッシュを気にしながらも、私は前線への取材を続けていた。米軍の空爆は激しさを増していたが、戦線は膠着状態である。米軍と北部同盟がカブールを陥落させたら、一緒に入城するつもりだが、それまではここジャボルサラジをベースに前線を回ってみるしかないのである。

毎朝、日課のようにテレ朝に定時連絡のインマル電話を入れ、今朝も無事に目が覚めたこと、空爆が相変わらず続いていること、そして取材予定を告げる。万一の事態に備えてもらうためである。

私は当日の予定を知らせ、「明日は前線のサラン峠に行くつもり」と伝えた。サラン峠はジャボルサラジの北側、峠をぶち抜いていたトンネルは内戦中に爆破されて通行不能だが、峠の頂上には北部同盟の最前線がある。

そのようなことを簡単に説明すると、テレ朝の担当者が「サラン峠からレポートを送っていただけませんか、ひょっとしたら六時のスーパー・J・チャンネルか、一〇時からのニュースステーションでコメントを使わせてもらうかもしれません」と言う。

（バッタカメラマンの不肖・宮嶋がニュースステーションに？　ウソやろ？）

（どうせボツや。まぁ使うにしたって録音やろ、久米宏氏と直接電話で話すわけでもないやろ……）

義理堅い私はそう考えて快諾したのであった。まったく障害物のない土地のこと、インマルさえ開いてしまえば、電話できない場所なんぞないのである。

かくして翌日、私はただでさえ重いカメラバッグにインマルを詰め込んでサラン峠に向かった。日本の皆さんは「峠」というと、茶屋→団子を連想されるであろう。しかし、この地の峠はまったくちゃう。サラン峠は標高五〇〇〇メートルなのである。十月中旬ともなれば、完全装備のアルピニストが立ち向かう冬山の世界である。

実際、私が行った二週間ほど後にはドカ雪が降り、大量の人間と車が立ち往生するとい

サラン峠に向かう途中の村。
家も山肌も同じ色。

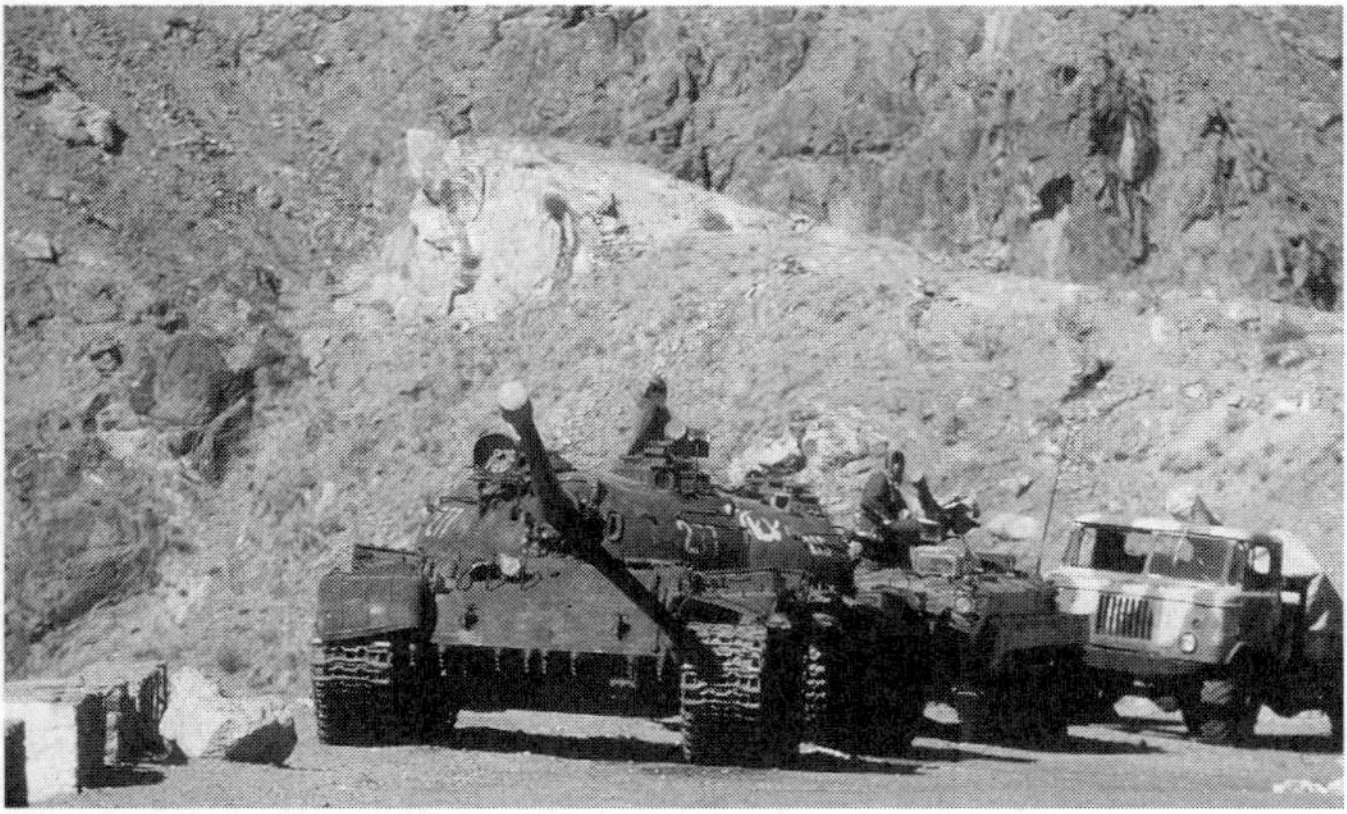

カブール進撃の準備のためか、
サラン峠手前で出合った現役戦車。

うシャレにならん事態になった。

峠のトンネルまでは約二時間のドライブであった。もちろん悪夢のごとき揺れである。トンネルの手前でエスコートの北部同盟兵士一人が乗り込んで来た。前線はトンネルからさらに五～六〇〇メートル登らねばならない。トヨタのピックアップトラックはすさまじい傾斜をズルズル登り、やっとこさ稜線に出た。

一歩、車の外に出て震え上がった。そりゃそうである。五〇〇〇メートルである。往路のアンジュマン山よりまだ高い。海抜ゼロの気温より単純計算でも三〇度は低いのである。それに風が加わる。ヒンズークシュの山々から吹き降ろす寒風が、である。

なんや……、東から白～いもんが……。掌に掬《すく》って、雪やぁ！　と思ったら、たちまち目の前が真っ白になった。すさまじい吹雪である。

（こ、こんなところに、前線がほんまにあるんかいな……）

シベリア出身のソ連兵も音を上げるハズである。最前線はここからさらに徒歩で一時間登ったところにあるという。この吹雪の中を一時間も歩くのか――。覚悟を決めて一歩を踏み出して……、三歩目で後悔した。こりゃあ、アルピニストの登山や……。通訳のニィちゃんは吹雪にも顔色一つ変えず、サンダル履きのままスタスタ登っていく。

アフガンの習慣は忌々《いまいま》しいものばかりだが、私の好きな習慣もわずかにある。それは運転手が荷物を運んでくれることである。つまりシェルパ代わりをしてくれるのである。私よりはるかに小柄で顔色の悪い運転手が私のカメラバッグやインマルを担いで登っていく。かなりの重さなのにまるで手ぶらと同じ身軽さである。こっちは手ぶらでもヒーヒーいうとるのに――。

はるか先に山小屋みたいな建物が見えてきた。そして、吹雪の中に突っ立っている小柄な人影も確認できた。ほんまにこんなところにムジャヒディンがずっとおるみたいである。一歩足を進めるたびにハア……、二歩でフーである。

あのアンジュマンの悪夢がまた……。

山小屋に辿り着いても一向に息の荒さが収まらない。よくもまあこんなところで人間が生存しているもんである。

顔を上げると、目の前に単装の二〇ミリ機関砲があった。カラシニコフだけでもヒーヒーいうところに二〇ミリ機関砲である。その重量、ゆうに一〇〇キロを超える。砲弾も入れたら、さらにその何倍である。よくもまあ、人がやっとこさ登れるところにこんな重いもんを……。

砲台の前は下界まで視界が広がっていた。下からタリバンがやってきたら、モロわかりである。なるほど、それでここまで砲を持ち上げたんか。この山に武器を持って登ってくる人間がおるとはとても思えんが……。

山小屋の中には当然ストーブなんぞなかった。ただ風雪を凌ぐためだけのスペースである。それでもあったかく感じる。

おっと、テレ朝に電話する時間である。吹雪に揉まれながらインマルのアンテナを広げる。ああ、しんど。メインパネルを確認して、ピンコード入力！　この寒さの中やからバッテリー容量も注意して、と……。よし！

ガッピーンと感圧を表わすインジケーターが突き出た。さすが標高五〇〇〇メートル。衛星に近いし、障害物もなしである。しかし、プッシュボタンを押すだけで疲れる。ハア……、ハア……、ハア……、フーフーフー、フーさっみい〜！

おっ、繋がった。さすがいつも立て板に水、すでに録音の準備が整っとるか。えっ、テストするう？　冗談やない。ここの気温、何度やと思っとんや？　ハア……。

「えー、私は今、標高五〇〇〇メートル、ハァ……サラン峠の頂上付近に立っています（ウソである。本当はしゃがんでいた）。ハア……、今……、ハア……、眼下にはあ……、タリ

サラン峠稜線の20ミリ機関砲。
白い斑点は降りはじめた雪

バンの陣地を〜、ハア……、フー、見下ろしています。気温は、ハア……、完全にマイナスです。北部同盟のハア……、兵士が機関砲をハア……、据え付けハア……、警戒にあたってハア……、もうアカン！」

このレポートがそのまんまニュースステーションで流れたという。まさに血を吐く思いで喋っておったのに、心ない人たちはこれを「宮嶋はオナニーしながらレポートを送っていた」と中傷した。まあ、似たような息遣《いきづか》いであったから、それはしょうがないとして、明石の老父母がなーんも考えずにテレビを観ていてヒックリ返ったという。

私は出張の予定を編集部以外には知らせない。女はおろか両親にさえ知らせたことは一度もない。今回もそうであったため「アフガンで日本人カメラマン、タリバンに身柄拘束」というニュースが流れた時、皆が「あれは宮嶋とちゃうか」と勘繰《かんぐ》っていたという。そんなところに、このオナニーみたいなレポートが流れたのである。

かくして、アフガンがどこにあるのかも知らない老母は、明石から六本木のテレビ朝日に電話をかけ、私の安否を問う仕儀《しぎ》となった。そして、その内容は翌朝のインマル定時連絡で、私にもたらされたのであった。

酒はスズメの涙かタメグチか

このサラン峠へは、私と前後してピーピーの綿井、佐藤の両氏も取材に行っていた。金策に走り回るだけではなく、ちゃんと取材もしていたのである。しかし、ゼニのない哀しさで、私以上の苦労をしていた。二人で一台の車を借りたのは当然だが、さらに節約するために4WDを諦め、カローラにしたのである。

二人の乗ったカローラはトンネルで停まった。そこから先の傾斜は登れなかったのである。かわいそうな、しかし根性のある二人は、寒風吹きすさぶなか低酸素に喘《あえ》ぎつつ、トンネルから頂上まで歩き続けたという。

そのような二人の奮闘を茶の間でワイドショーを見ていた方たちは知らないであろう。産経新聞の読者も知らないであろう。しかし！　神様はサラン峠の上空から見ていた。二人を哀れに思《おぼ》し召《め》した神様は、彼らにとんでもないニュースをもたらしたのである。

それは、なんと！　この地に来てから、私でさえ諦めていたブツが近々入手できるという情報であった。

二〇歳で酒とタバコを覚えた不肖・宮嶋、このジャボルサラジに着いてからというもの、一滴のアルコールも入れていなかった。早寝早起きして、毎日前線に出かけていたのである。これほど長期間の断酒は酒を覚えて以来、初めてである。その酒が近々、このジャボルサラジで手に入る予定があるというのである。

今、ジャボルサラジにいる外国人の大半は同業者である。国では皆、不摂生《ふせっせい》の見本のような生活をしている。当然、この地においても皆ビールも飲みたければ、バーで一杯もやってみたいのである。

だが、それはこの地では大罪なのである。タリバン支配下のように下手したら死刑なんてことはあるまいが、国外退去になった同業者もいると言われていた。酒飲んで仕事をパアにしてはシャレにならんのである。

しかし……、そのように考えて我慢できるのは、手の届くところに酒がないからである。もし入手可能なら、不肖・宮嶋、とてもその誘惑に勝てそうになかった——。

佐藤記者の話によると、密輸ルートはこうであった。世界ネットの欧米の大テレビ局のコンボイが大量の荷物とともにドシャンベを出発し、ファイザバードも過ぎ、そろそろジャボルサラジに到着する予定だという。

もちろん、荷の中身は重い中継機材やジェネ、食料、水、衣類などであるが、その中に酒を紛れ込ませているというのである。そのテレビ局の日本人クルーに接近した佐藤氏が聞き込んできたのである。さすが全国紙記者である。すごい取材力である。

しかも、その日本人クルーは日大芸術学部のご出身、私の先輩だというではないか。不肖・宮嶋、この時ほど母校に学んだ幸運に感謝したことはなかった。ここはひとつ、そのやさしい先輩にかわいい後輩を紹介していただき、おこぼれに与《あずか》ろうと……、まあそういう魂胆《こんたん》であった。

そうなると、もう夕暮れが近付くと仕事も手につかない。今日か明日か、佐藤記者の抜け駆けも充分予想されるので、日が暮れてからの佐藤記者の下宿からは目を離せなくなった。げにおそろしや、酒飲みの執念である。

アジトはどこに設《もう》けるか。つまみは何にしようかなどと、もう遠足に出かける前のガキのように浮《うわ》ついていると、佐藤記者から最新情報がもたらされた。先輩と話がついたというのである。そしてブツはどうやらブランデーらしいと。この際、エチル・アルコールなら何でもいいのだが、ブランデーとはけっこうなことである。

当地の同業者の間では、闇酒のことがしょっちゅう話題になっていた。隣村のチャリカルの喫茶店に通いつめると、店主が密造酒か密輸酒を奥から出してくるというのである。

それはおりものだらけのグラッパやウオッカだという。

しかし……、我々が待っているブツは世界的メディアがわざわざ運んでくるブランデーなのである。こりゃあ、期待がもてようというもんである。

当然、こんなオイシイ話が漏れないハズがない。私の口から同じ下宿の共同通信の原田カメラマンに、そして支局員全員に広がった。

我々は「おはよう」「おやすみ」という美しい日本語を忘れ、涎《よだれ》を垂らしながら「まだかのう?」「まだっすかね」と挨拶を交わし、鳩首《きゅうしゅ》会談を重ねるのであった。

最大の議題はアジトをどこにするかである。ブツの所有者である日本人クルーの部屋で飲むのが普通だが、なんちゅうてもブツがブツである。万が一、踏み込まれたらクルー全員国外退去という恐れもある。共同通信の臨時支局も同様の理由でボツである。望ましいのは何のバックもないバッタカメラマン、つまり私の部屋であった。

それに、私はそろそろ帰国しなければならなくなっていた。もうゼニが底をつきそうなのである。帰路はアスタナ・ゲストハウスからヘリに乗るのだが、来た時同様、順番待ちである。そろそろリストに名前を載せておくべき時期が来ていた。したがって発覚して国外退去の処分を受けても実害はないのである。

しかも! 好都合なことに、数日前に同居のフランス人、イタリア人カメラマンが別の下宿に移ったため、今は一〇畳ほどの部屋に一人住まいである。そのうえ！　地下で管理人の目が届きにくいのである。

次の議題はつまみである。ジャボルサラジの中心部には市場がある。汚いレストランが二軒あり、その一軒にPIZZAと看板があるのはシャレ。メニューは肉団子、ケバブ、生野菜で、一食一〇〇円もかからない。ただしペプシを飲むと、それだけでプラス一ドルである。

食料品を売っている店も五、六軒ある。この話を耳にして以来、私はこれらの店を覗くのが日課というか、クセになっていた。毎日、吸い込まれるように店に入り、目を皿にして棚を見回していたのである。

そして、不肖・宮嶋のハナは棚の隅っこに、とっておきのブツを嗅ぎつけたのであった。コンビーフである。しかもイギリス製、もろ狂牛病の疑い濃厚のやつ。その疑いで捨てたのを拾って、ここまで運んできたとしか思えんような古〜いコンビーフ。それがなんと四〇ドルである。五〇〇〇円以上の超高級つまみであった。

こんなもん買うから取材費が底を突いてしまうのだが、げに恐ろしきは酒飲みの執念、前後の見境なく手を出してしまうのであった。

ギブミー・レミー

十月三十日、ブランデーの到着を待ちわびつつも、私はアスタナ・ゲストハウスに向かった。キャシュが一五〇〇ドルを切ったのである。とりあえずリストに名前を載せてもらったが、アスタナ・ゲストハウスには三〇人くらいの同業者がたむろしていた。みんなへり待ちである。フライトが決まって名が呼ばれた時、その場にいなければ即キャンセル扱いになってしまうので、もう何日も待っている者もいるという。

フライトの順番を逃がさないためには、私もこのゲストハウスに留まっていなければならないのだが、この様子では私の名がすぐに呼ばれることはなさそうである。それに、留まっていると間違いなくブランデーを逃してしまう。フライトの順番とブランデーを秤《はかり》に掛けた私は迷わずブランデーを選び、ジャボルサラジに戻ったのであった。

そして、翌日の夜、佐藤氏が息せき切って私の下宿に走ってきた。

「来たよ！　宮嶋さん！」

「おお！　してやったり！」

私はこの時に備えて一日一〇〇ドルという暴利の運転手に、さらにチップを上乗せして夜まで待機させていた。こんなことしてるからキャッシュがなくなってしまうのだが、げに恐ろしきは酒飲みの執念なのである。

「よっしゃあ！　ブツは今どこに？」

「まだむこうの支局に……」

「よし！　待ちきれん。早《は》よ迎えに行かそ！　あくまで自然に！」

三〇分後、今回の一大功労者、日大芸術学部の先輩と佐藤、綿井両氏が現われた。共同通信はお気の毒なことに送稿があるとのことで、原田カメラマンだけが、四人分飲んでやると鼻息を荒くして現われた。送稿が終わるまで待ってやるなどという選択肢は絶対にないのである。

「ほおれ！　お待ちかねのブツだぞお！」

先輩が懐から取り出したのは……。

「スッゲエ！」

「おおおう！」

皆の目がひんむかれた。それは正真正銘のレミーであった。しかもフルボトル。さすがメジャーメディア、大胆である。あの道を、あのアンジュマン山を、ペットボトルに詰め替えず、しかも割らずに越えてきたのである。

時刻は一〇時を過ぎていた。この地に来て初めての夜更かしである。下宿のジェネはとっくにウンともスンとも言わない。ガソリンランプを車座に囲んだ面々の手にブツが回っていく。ずっしりとした重み……、みんなランプに照らしてウットリするのであった。

「それじゃあ、先輩から」と皆が顔を綻《ほころ》ばせて勧めた時、原田カメラマンの声が響いた。

「ちょっと待って！」

どこから調達してきたのか、取り出したのはスルメであった。

「まずはこれで匂いを消してと……」

そうである。今から我々がやろうとしていることは、東京でマリファナ・パーティをやるのと同じなのである。この日を指折り数えて待ったのである。ここでボロを出すわけにはいかん。

「ほお、やるのお。楽しみは先のほうが大きいというもんや」

私のコンロにボォッと火がつけられ、室内にガソリンの匂いが充満した。そして強烈な懐かしい匂いも広がった。スルメがくるくる踊りだす。

「おおう！」

全員が歓声を上げた、そのときである。アジトのドアが乱暴に蹴り開けられた。

「何の匂いなのら！　これは！　大迷惑なのらあ！」

下宿の使用人のチンチクリン・さぼり・手抜きニィちゃんであった。日頃、ろくなメシも作らず、湯も沸かさんくせに、こういうときだけは鼻が利く。海を知らないアフガン人にとって、このスルメの焼ける匂いはクサヤ以上の悪臭なのである。フッフッフ……、こいつがこの匂いですぐに踏み込んでくるのはちゃんと計算ずくであった。

「今日はめでたいパーティや。これはめでたいときに日本人が食べるフィッシュの一種や。すぐ終わるから！」

「ケッ！　早く寝るのら！」

チンチクリンは我々の真の目的を知るまでもなく、ドアを閉めて階上に消えた。

「へへへ……、ダメ押しや！」

私はとっておきのシガーを取り出した。いつも東京では一日の疲れを癒すためのキューバ産モンテクリスト・ナンバー3である。スルメプラス葉巻、これで準備OKである。

もはや誰も口を利かず、喉《のど》を鳴らすだけであった。各々の歯磨き用のアルミのコップに褐色の液体が注《そそ》がれる。不肖・宮嶋、その懐かしい匂いで、思わず失神しそうになった。この一杯は銀座のどんな高級クラブの一杯より、はるかに高価なはずである。

「アフガンの将来に！」

「アフガンの人民のために！」

「平和に！」

「早くカブールが落ちますよう！」

我々は心にもないことを小声で囁《ささや》きながら静かにコップを合わせ、一気にいった。

先輩が差し出したのは、汚いジャムの瓶に詰められたニンニクの醬油漬けであった。

「このジャボルサラジに着いてから、八百屋で買った生ニンニクをずっーと漬けてたの」

「へへへ……、ブランデーと一緒にこれも……」

原田カメラマンがフォークを突き出して、すかさず口に放り込み、皆が続いた。

「うっまい！」

それに匂い消しにもなる。静かな静かな、そして極めて豪華で贅沢なパーティは一時間足らずで終わった。仕上げが肝心である。窓のビニールの隙間からレミーの空瓶を投げ落とした。東京都の団地のゴミ収集管理ババアが見たら、失神しそうな暴挙である。ガッシャーンと景気のいい音とともに証拠は完全に隠滅《いんめつ》された。

待機させていた車で皆を送って、ジャボルサラジで最も楽しい夜は更けた。あれだけニンニク漬けとスルメを食ったのである。運ちゃんがアルコールの匂いに感付くこともあるまい。そもそも、酒を飲んだことのないアフガン人に、アルコールの匂いがわかるはずもないのである。

ゼニの切れ目が縁の切れ目

翌日、私はアスタナ・ゲストハウスに移動した。ゼニの切れ目が縁の切れ目。北部同盟のカブール入城を見届けたいのはやまやまだが、それがいつになるのか、まったく解《わか》らんし、もうすぐゼニがなくなるのである。

米軍による空爆は激しさを増している。当初は夜だけであったが、この頃は昼間からバリバリである。我々より視力がいいアフガン人が指差す方向にレンズを向けると、果たして……、きっちりF－18やB－52が拝めるのであった。

私が出会ったほとんどすべてのコマンダーやジェネラルと称する方々も皆「ラマダン前には決着させる」「戦況が許し次第、ただちに進攻を開始する」なーんてコイてはいた。自宅の縁側に座って茶をすすりながら──。

しかし、戦況は進展を見せなかった。私の見るかぎり完全な膠着状態。ジャボルサラジから対岸の火事ならぬ、対岸の空爆を眺めるしかなかった。コマンダーたちのコメントは単なる希望的観測、願望にすぎなかったのである。

（ここは一時撤退、カブールが陥落《おち》そうになったらまた来ればええか——）

狼少年に騙され続けた村人のような心境の私はそう考えたのであった。私だけではない。私と同時期にアフガン入りした多くの同業者が帰国準備を始めていた。共同通信の及川記者も帰国体勢である。米軍の空爆開始をスクープし、交替要員の長谷川記者も到着したから、任務を十二分に果たして名誉の凱旋である。

アスタナ・ゲストハウスには、そうした連中が群れをなしていた。朝日新聞の三名（ウィーン支局のA記者、モスクワ支局のK記者、写真部のHカメラマン）、共同通信の及川記者。外国勢ではフォックス・ニュースのイギリス人クルー四名、チリのテレビクルー二名、フランス人カメラマン二名、スロベニア人カメラマン二名などなど。私の後からは腐れ縁のG・クルーニー一派、クリスと同じ車に乗っていたギリシャ人もやって来た。

搭乗リストを管理しているのはアミンという外務省の役人で、モスクワ留学中、一年間で三六五本のウォッカを飲んだと豪語していた。ドシャンベと同じ光景である。この地に来て一〇〇〇回目のイヤーな予感がする。

アスタナ・ゲストハウスの庭で。この装甲車は、
どのようにしてひっくり帰ったのであろうか。

ホテル・キャリフォルニア

状況は聞くまでもなかった。いつフライトがあるのかはまったくわからない。天候次第なのである。そして、フライトがあっても乗れるかどうかは自分のリストナンバーを呼ばれるまでわからない——。かくてアスタナ・ゲストハウスのイライラ地獄が始まるのであった。

ここでは誰も名乗らない。名前の代わりヘリ待ちのリストナンバーである。まるで刑務所か捕虜収容所である。「おはよう」のかわりに「今日の天気は?」というが朝の挨拶である。

ここパンジシールだけではない。離発着地のホジャババハウディン、ドシャンベ、途中のルート、そのすべてが大当たりしたスロットマシーンの目のように、ピタッと揃って好天となって初めてヘリは飛ぶのである。

朝飯は七時半から八時、ビニールを敷いた床にあぐらをかいて、ナンにジャム、お茶である。従業員の機嫌がいいとゆで卵が出る。洗面、歯磨きは五〇メートル離れたパンジシール川の川原である。水は手が切れるほど冷たい。朝夕の気温は当然マイナスである。

朝飯を済ませたら、アッと言う間に荷造りをし、車に積んでヘリポートに向かう。ヘリポートは川の対岸で、川には吊り橋が一本かかっている。橋の前で車から降りた我々はその川原で夕方四時まで、いつ来るかわからんヘリをボーッと待つのである。

川にペプシの空缶を浮かべ、石をぶつけて沈めるのが最大の娯楽になっていた。それぞれの国ではブイブイ言わせているジャーナリストどもがずらりと並んで一生懸命、石を投げる。まさにシュールであった。

活字は私が持っていたドストエフスキーの『罪と罰』の下巻、トム・クランシーの『日米開戦』の上巻、佐野真一の『東電ＯＬ殺人事件』の三冊。朝日のウィーン支局のＡ記者は分厚い「東電ＯＬ」を二日で読み切ってしまった。

及川記者は焚き火が大好きになっていた。暖をとれるし、格好の暇つぶしになる。薪がなくなりかけると、ピューッとどこかに消えて、燃えそうなゴミや流木、枯木を拾ってくる。あたりに落ちているものを拾い尽くすと、立ち枯れている木まで倒し始める始末である。

特にお気に召したのは紙パックの屑のようで「おう！　やっぱり蠟《ろう》が塗ってあるから火の勢いが違う！」としきりに感心していた。もう、ほとんどガキの火遊び状態で、毎日、一日中、焚き火を突ついているのであった。

昼飯はヘリポート近くの小屋、アスタナ・レストランで、たった一つのメニュー、くっさいミートボールとスープ。厨房が道端なので、料理はいつも砂まみれである。

夕方四時に荷を再び車に積んでホテル・キャリフォルニアに帰る。あのEAGLES《イーグルス》の歌のタイトルのホテル・キャリフォルニアである。「勘定払わんとチェックアウトできん」という歌詞があるらしく、我々はアスタナ・ゲストハウスをそう呼んでいた。

五時には真っ暗になり、六時にナンと豆スープ、羊肉、生タマネギのクソまっずい夕食、九時まで発電機が回り、皆、パソコンとインマルに充電する。そして九時に消灯、酒も女もナシ。

四つしかないベッドを牢名主《ろうなぬし》のように占領していたのは、朝日新聞の記者二人とイギリス人二人である。別にその四人が強そうだったからではない。アミンにワイロを遣《つか》ったからでもない。このアスタナ・ゲストハウスの古参だったからである。

なかでも朝日のK記者はすでに一週間以上も待ち続けている最長老であった。その存在は各国ジャーナリストの間でも評判になっており、毎日、リストに名を載せるため、あるいはそろそろ泊り込んでヘリ待ちをするために現れた新参者は、まずK記者に仁義を切っていた。

川面を見続けるゲストハウスの「囚人」たち。
対岸はヘリポート。左上に「遠すぎる橋」。

ホテル・キャリフォルニアでの食事、というよりエサ。
正座は叱られているから、ではない。狭いのである。

「あ、あなたが……、かの有名な日本人で……」

無精ヒゲを生やした小柄なK記者は、その忍耐力を示すように静かに答えていたものである。

「皆と仲よくやってください。グッドラック！」

イライラすることもなく、喚《わめ》き散らすこともなく、静かにベッドで胡座をかくK記者は悟りを開いた禅僧のようであった。

その姿は「おい！　みんなで暴動を起こしてヘリを乗っ取るんや！」と息巻いている白人たちをたちまち沈黙させるくらい立派なものであった。このため、K記者と他の三人が毎日ベッドを占領していても、文句を言う者は一人としていなかったのである。

そんなわけでベッド組四人以外の二〇人ほどは床と廊下で寝る。もう足の踏み場もないような状態で、寒さに震えながら寝袋に潜り込むのであった。


「私は妊娠しているの」

ここではメディアの国籍も大小も関係ない。アミンの手元に二四時間しっかり握られている革張りのノートのリスト順にヘリに乗れ、文明へ帰還できるのである。ただし、あくまで軍事が優先である。せっかくヘリ（ミル—8）が飛んで来ても、突然現われた軍人の一団が我々の目の前を通ってサァーッと乗って行ってしまうこともある。北部同盟は何も我々のためだけにヘリを飛ばしているのではないのである。

私も含め、皆、国に帰れば結構忙しい身である。そして人を出し抜くのが大好きな連中である。そのような人種に全く何の仕事もできない日々が続けば、誰もが企《たくら》むのが抜け駆けである。CNNのネエちゃんなんぞ「私は妊娠しているの」とぬかし、何日も待ち続ける同業者を尻目に順番を無視してヘリに乗ろうとした。しかし——。

「妊婦がこんなとこ来るわけないやろ！」

「ボケ！　そこの川原で産め！」

たちまち皆から罵声を浴びせられた。

「お腹の子に万一のことがあったら、あんたらのせいだからね！」

抜け駆けを阻止《そし》されたネエちゃんは、飛び立つヘリに向かって叫ぶのであった。

「あんたたちのヘリなんか落ちるがいい！　一生恨んでやる！」

ヘリポートでヘリに「落ちろ！」というのはシャレにならん。我々の人種に紳士がいないということを、このネエちゃんも知らんわけでもあるまいに……。

数日前、私はこのネェちゃんと同一人物と思《おぼ》しき女をジャボルサラジの外務省小屋で見ていた。その時、このネェちゃんはアジカハール副長官に向かって「夫に子どもを誘拐されたので早く帰らせてくれ」と半べソかいて頼んでいた。それがいつの間に妊婦に変わっているのである。

皆、疑心暗鬼になって監視し合っていたから、とてもズルはできそうにない状況であった。それを試みてバレて、かつ失敗に終わった時のことを考えると、オトロシくてできないのである。ただし、それはこのアスタナ・ゲストハウスにおいては……、である。

組織が大きいところは、代表一人をリストの順番待ちに残し、他の奴をジャボルサラジでの抜け駆け工作に走らせていた。アブドラ外相は外交交渉のためにしょっちゅうジャボルサラジとドシャンベを往復する。その特別ヘリに取材と称してクルーを割り込ませるのである。

もちろん、それは単身でこの地にいる私にはできない相談であった。

運不運なんて、わからん

ひたすら待ち続ける朝日のK記者、共同通信の及川記者、不肖・宮嶋……、そうした、この世の不幸を一身に背負ったような人間もおれば、信じられんほどラッキーな者もいた。K記者と同じ新聞社の人権記者・本多氏である。

本多記者はK記者がこのクソ山奥で順番取りしてくれたおかげで、信じられんことにほとんど待たずにヘリに飛び乗ったらしい。

チェチェンの戦友・読売の花田記者は、アブドラ外相がドシャンベに渡る特別ヘリのスペースに割り込み、一日も待つことなくドシャンベまで一気に戻った。これは幸運中の幸運である。今の戦況では、ここパンジシールからヘリに乗れても、国内のホジャバハウディンまでである。そこからは陸路で国境のダリア川を渡り、車を乗り換えてドシャンベに向かわねばならない。丸々二日がかりの行程である。それを一気にドジャンベまで――。

ラッキーを絵に描いたようだったのが坊主頭のイタリア人レポーター、ラファエロである。この偉大な芸術家と同じ名の五〇歳くらいの同業者は、リストに名前を載せてジャボルサラジに戻り、取材を続けた。

そして数日後の朝、ボチボチかなあとヘリポートに現われると、ドンピシャリでオノレのリスト・ナンバーを呼ばれ、そのままヘリに乗って帰って行った。

ラファエロはジャボルサラジで我々と同じ屋敷に下宿していたが、その要領のよさ、調子のよさには天賦《てんぷ》としか思えんものがあった。屋敷内で唯一と言っていいほど気のいい白人で、いつも皆を笑わせていた。

国ではソコソコ名の知れたレポーターらしく、毎日、ローマのテレビ局にレポートを送る。皆それぞれオノレの仕事があるのだから、レポを送ろうが、暗号を送ろうが自由なのだが、そのレポートを共同通信の部屋から送っていた。共同通信のインマルを使って、である。

毎日ちょうど夕飯時にココンとノックをかまし「ハァ〜イ！　ボンジョルオ〜、ジュリアーノ、ジェンマ、ナポリターナ」などと喚きながら部屋に入ってくる。そして我々がまずいメシを食っている間に、ストップウォッチ片手にローマにダイヤルするのである。

いつも「プロントォ〜（イタリア語のもしもし）」という大声で始まり、戦争のレポートとは思えん陽気さで喋りまくる。我々が「こんなもん、日本じゃ犬でもまたぐどお！」とメシをボロクソ罵《ののし》るなか、平気でアフガン・レポートを送り続けるのである。

レポートが終わると、おもむろにストップ・ウォッチに目を落とし、毎分二ドルの通話料をきっちり及川記者に払い、我々の食いっぷりを目を細めて眺め、バカッ話に花を咲かせる。そして、勧めても食い物には手を出さずに、オノレの地下のタコ部屋に帰って行ったもんである。

川原で待ち続ける我々を尻目に、ラファエロがいつもの調子でヘリに飛び乗った時、神ならぬ不肖・宮嶋「こんなことがあってエエんか！」と、その強運に呆れ、オノレの不運を嘆き、目の前のパンジシール川に石を投げていた。

しかし、何が幸運で何が不運かなんて、人生が終わってみなければ判らんのである。ラファエロは天性の陽気さと要領かまし、そして強運を武器に世界各地を渡り歩いていたが、このパンジシールのヘリ待ちで、そのすべてを使い果たしていた。続いて取材に行ったパレスチナでレポート中に銃弾を受け、呆気なく死んでしまったのである。

もし、私と同じようにアスタナ・ゲストハウスで一〇日くらい足止めを食っていたら、ラファエロは死ななかったのであろうか。運不運《うんふうん》なんて、所詮、人間にはわからんもんなのである。

野グソの快感

ここで目を覚ますのは、何度目だろう。朝晩はしっかり冷える。アルコールの匂いのない朝は清々しい……、ハズである。いつヘリに乗れるかわかっていれば——。

寝袋をたたみ、コップと歯ブラシを握って川原に向かう。繊維が固い羊の肉ばかり食っているからだろうか、奥歯がズンズン痛む。川の水は一応透明である。飲めば腹を壊すだろうが、歯磨きくらいなら大丈夫である。冷たい。もう、たまらん。

そのとき、中州で何かゴソゴソ蠢《うごめ》く気配があった。羊でもおるんかいな？と注視していると、朝日のHカメラマンが葦《あし》をこじ開けて出て来た。ピンク色の中国製のトイレットペーパーを手にしている。

「こっらあ！　川でクソすんな言うたやろがあ！」

「いいじゃない、上流じゃあるまいし。ここ中州なんだから。気持ちいいし」

ここも便所が最悪なのである。二〇人以上の外国人がいて、便所は穴が一つだけ。当然、足りる訳がない。私が辿り着いた当初、この水取り場付近は、それはそれはきれいで、憩《いこ》いの場所だったのである。それが……、いつのまにかクソの地雷原である。埋めてあればまだいいのだが、石の上にてんこ盛りである。大部分は人間のものとも思えんほど太い（これは白人の仕業）。ピンクのトイレットペーパーもそこらじゅうに散乱している。

パンジシール川の環境保全のため、不肖・宮嶋、「川でクソすんな！」と声を上げたのだが、野グソの快感を覚えてしまった連中は聞く耳を持たんのである。

まあ、それも仕方ないのかもしれん。ここには他に快感を覚える手段がないのである。酒も女も娯楽もなし。メシもまずい。ナイナイ尽くしの環境で、川のせせらぎを耳にしながらの野グソだけが気持ちエエのである。

そのような精神的に追い込まれた状況の中で、フォックス・ニュースのイギリス人クルーの若いニィちゃんが建設的な提案をした。こいつはマーク・レスターに似ており、いつも英国紳士らしくネクタイをしめ（寒いから）、シェーバーで髭を剃っていたが、一本しかないズボンを川原で洗濯してしまい、上半身はネクタイにジャケット、下半身はブリーフ一丁というスタイルでウロウロしていた。シャバで見たらほとんど変質者である。

ここに取り残された我々にとって最も建設的なこと、それは言うまでもなく、できるだけ早く脱出することである。まあ、これは大義名分というか建前で、実態は、質《たち》の悪い人種が暇を持て余しており、その手元にはインマルがあったということである。

マーク・レスターが考え付いたのは電話ストーカー攻撃であった。このゲストハウスでほとんど「囚《とら》われの身」となっている者たちが、それぞれ国の本社に電話し、オノレの国の外務省にプッシュさせて、アフガンの大使館に「パンジシールにもっとヘリを飛ばせ！」と捻じ込ませる、という作戦である。

しかし……、悲しいかな、私をこの地に飛ばしてくれた編集部は皆様、超多忙なのである。今夜の打ち合わせ（合コン）、明日のモデル撮影の準備で忙しくて、私の願いなんぞ、聞いている暇はないのである（つくづくクドイ）。しかも、万一、動いてくれたとしても、働きかけ先が変態と盗人の巣窟・外務省である。北朝鮮に拉致された方々の家族が行なったさまざまなお願いですら無視し続けてきた連中なのである。

バッタカメラマンの一人や二人、どうなろうと知ったことではないであろう。もっとヘリを飛ばすように圧力をかけてもらうなんて、期待するほうがアホである。

というわけで、不肖・宮嶋にあてがわれた任務は、ロンドンのアフガン大使館への嫌がらせ電話攻撃であった。わざわざ衛星を通してインマルでロンドンまで掛けるのである。リダイヤルを繰り返しても、話し中ばかりであった。一〇回かけて一回繋がるかどうか。やっと繋がったときには拙い英語で精一杯喚《わめ》き散らす。マトモに聞いているとは思えんが、嫌がらせだから、かまわんのである。

それぞれ与えられた任務を全《まっと》うすべく、というより暇にまかせて電話を掛けまくったのであるが、皆、適当にあしらわれてオシマイであった。

脱出のための作戦会議をする「囚人」たち。タチの悪い人種とはいえ、
悪党ヅラばかり。右奥から 3 番目がマークレスター氏、奥の眼帯の男がチリ人。

遠すぎる橋

嫌がらせ電話攻撃の次に企画されたのが賄賂作戦である。そもそも小役人のアミンがリストを握り、いろいろなところからの圧力でヘリに乗る順番を操作しているからややこしいのである。ここにいる人間とパイロットのジカ取引なら簡単明瞭ではないか。という訳で、パイロット買収作戦が検討された。

ヘリポートへの吊り橋の両側には鎖がかけられ、ムジャヒディンが目を光らせている。川原での撮影も一応禁止である。ヘリが着陸し、荷物やムジャヒディンの積み降ろしが済むと、パイロットはあと何人乗れるかをアミンに告げる。アミンはその人数分だけリストを読み上げ、ナンバーを呼ばれた者だけが橋を渡れる。料金はドシャンベの大使館で往復の四〇〇ドルを支払い済みである。

つまり、ヘリ待ちの人間を何人乗せるかはパイロットが決めているようなのである。とすれば、この人数を多少増やしてもらうことは可能であろう。さらに、他の荷物や人員を後回しにし、我々を先に乗せることだって不可能ではないのではないか。どうせ、戦時下のドサクサなのである。アミンには、軍の上官の指示だと言い、軍に対しては外務省の指示だと言えば、なんとかなるのではあるまいか。

アスタナの「レストラン」で食事をする
現地の人たち。味？　そんなもん……。

羊の肉を金串に刺して焼くケバブ。
焼鳥のタレを持って来ればヒット？

問題はパイロットにどう接触するかである。まず考えられるのが、ナンバーを呼ばれたリスト上位者が賄賂を持って橋を渡り、パイロットに交渉するという方法である。しかし、乗れると決まった者が本気で交渉するとは思えんし、言葉の問題がある。

また、失敗した場合に各自に返金するのがむずかしい。それを理由に持ち逃げする可能性だってある。

次に考えられるのが、パイロットがちょっと休憩で橋のこちら側に渡ってきた時、アフガン人の助手にダリ語で書かせた要望書（メモ書き）を渡し、OKならキャッシュを渡すという作戦である。これは持ち逃げされる心配はないが、うまくアミンの目を盗んで接触できるかどうかがポイントである。

いくらならパイロットを買収できるか。我々賄賂常習者たちが算出した金額は一人三〇〇ドルであった。ここにいる外国人に用意できない金額ではない。二〇人なら六〇〇〇ドル、約七〇万円である。金額的にはそのくらいで充分であろう。なにしろ平均月収二ドルの国なのである。月収の三〇〇〇倍といったら、日本だと一〇億くらいのゼニである。

そして、ある日、飛んできたパイロットが橋を渡ってこちら側にやって来た時、作戦は決行されたのであった。かねて用意の要望書をポケットに忍ばせたフォックス・ニュースの助手がパイロットに近付き、アミンがどこかに消えたスキに手渡したのである。そしてすぐに傍らを離れ、我々のところに戻ってきた。

我々は素知らぬ顔で待っていた。近付きもせず、離れ過ぎもせず、パイロットが接触しようと思えば自然にすれ違えるほどの距離を保って、チラチラと視線を送っていたのである。

しかし、パイロットは近付いて来なかった。それどころか、我々の仕業をあっさりアミンに通報してしまった。かくして買収作戦は、その後の数日間、ひどく機嫌の悪いアミンを見るという結果を招いただけであった。まさに遠すぎる橋「ブリッジ・トゥ・ファァー」である。この橋を荷物を引きずって渡れる日が本当に来るのであろうか——。

アスタナ・バクチンピック

もはや暴動寸前かという険悪な雰囲気を心配したのか、ある時、アミンから我々にトランプ二組の差し入れがあった。これでバクチでもしながら大人しく待っていろということである。もう手の内はミエミエなのだが、ありがたい！　皆、退屈で気が狂いそうなのである。

アスタナ・ゲストハウスの小部屋はたちまち賭場と化した。メンバーは外国勢がイギリス人のマーク・レスター、我々とチキチキマシン猛レースを繰り広げたスペイン隊のジョージ・クルーニー、ノルウェー人カメラマンのトム。それから泣き虫ジャックと片目のジャック。

泣き虫ジャックはフランス人カメラマンで、一度は辛抱しきれずに車で出発し、アンジュマン山で雪に埋もれて死にかけ、這々《ほうほう》の体《てい》で逃げ帰ってきた男である。口を開くたびに「早く帰りたいよう」「明日は晴れるかなぁ」「六人の子どもに会いたいよう」と半べそをかいていた。

片目のジャックはチリのテレビクルーで本当に片目。体がでかいうえにダヤンのような真っ黒な眼帯をしており、凄まじい存在感を醸《かも》し出していたため、朝日新聞のK記者に次ぐ顔役であった。

そして、日本代表は朝日新聞のHカメラマン、A記者、不肖・宮嶋である。最初の種目はセブンブリッジであった。これで私はHカメラマンのケツの毛まで抜かせていただいた。帰国後、築地に取り立てに行くつもりなので、警備員は債権者の私を無礼に扱わないように！

ちなみにアフガンは賭博はフリーである（らしい）ので、朝日新聞の社長はHカメラマンを大目に見るように。どうせ販売店は高校野球でトトカルチョしとるのだから。

第一種目で勝利した私は、勢いにまかせて、というか暇にまかせて、第二種目、マーク・レスターを胴元にしたブラックジャック大会に臨んだ。なにしろ私はアンジュマン山中で悟りを開いたのである。カードに念力を送れば、このゲストハウスにあるドル紙幣すべてを懐《ふところ》に入れることなど、たやすいハズであった。

ところが！　なんということであろう。三枚目のカードを捲《めく》るたびにドボンが続き、たちまちポケットはカラになってしまった。熱くなった私はジャボルサラジで買ったアンチーク・アフガン・カーペット（四五〇ドル。こんなもん買い込むから取材費が底を突いてしまう）をカタに最後の勝負を挑んだ。

国外持出し不可とまで言われた超高級品である。「またスカーフなのぉ」とブーたれる女に「ホレ、またスカーフや、巻いて見せんかい！」と言ってやるつもりのお土産であった。だが、それもノルウェー人カメラマン、トムに巻き上げられてしまった。

長々とヘリ待ちをしている不運な人びとのなかで、私は最も不運なのであろうか。悲しいことである。

もはやここでじっとヘリを待つしかない。陸路で戻るには最低でも一〇〇〇ドルかかるが、もう、そのゼニすらなくなってしまった。来るときに往復のチケットを買ったヘリでなければ、帰ることができなくなったのである。

あとは映画「タイタニック」のようにヘリ待ちリストの順位を賭けてバクチをするしかないであろう。と、そこまで考えて私の気分は陽転した。映画の通りならバクチに勝った奴が乗ったヘリはクラッシュする運命なのである。ラッキーなのかもしれん！　バクチに負けてもポジティブ・シンキングな不肖であった。

儂《わし》も舞い上がった

何日、ここで空を見上げたことであろう。ついに私はホテル・キャリフォルニアに残る唯一の東洋人となっていた。四日前の日曜日、天気が回復し、最古参のK記者はじめ朝日新聞の一行三人が待つこと一三日目で脱出した。この時、ヘリに乗ったのは約一〇人であった。

そして翌月曜日、共同通信の及川記者が待つこと七日目で脱出した。このヘリに乗ったのも約一〇人、リスト・ナンバーを読み上げるアミンの声は、私のナンバーの二人前で終わったのであった。

そして火曜日、水曜日とヘリは飛ばず、今日は木曜日である。よく晴れている。真っ青な空である。ヘリが飛んで来れば、キャパに余裕があれば、そしてズルして割り込んでいるヤツがいなければ、そろそろ私が乗れていい頃である。いつものように荷造りをし、いつものように吊り橋の手前の川原に向かう。

突然、ヘリがやって来たのは十時頃であった。ついに……である。しかも二機まとめて、である。降り立ったパイロットにアミンが近付いて行った。そして、すぐに吊り橋を渡ってこちらに向かってくる。期待できそうではないか、二機もいるのである。いつものように我々の前に立ったアミンは革張りのノートを開いた。

「ノーメル・ドヴァ・セミ・アジン！」

アミンの声が響いた次の瞬間、ロシア語にも堪能なマーク・レスターの声が弾む。

「ナンバー・トゥ・セブン・ワン！」

「うん？」

「二七一番？　エッ？　ウソ？　オレ！　オレ！」

いきなり私のリスト・ナンバーである。もちろん、私の前に二七〇人の同業者がヘリで帰って行ったのではない。その大部分はヘリを待ち切れず、雪のアンジュマンに、あの陸路に向かったのである。

今朝もまだ暗いうちにかなりの人数がコンボイを組んで出発していた。その中に私の前のリスト・ナンバーの奴がいたのであろう。雪が無くても死にそうになった山に、である。つい先日も北部同盟の現金輸送車が谷底に転落し、二人も死んだというのに……。

「ミスターミヤジマ！　おめでとう！　We miss you ……（君がいなくなると寂しいよ）」

マーク・レスターが複雑な微笑をかました。

「ボクらはまだ乗れそうにないよ！」

「なあに、すぐ帰れるで！」

「アミン！　長い間、世話になった。ダスビダーニャ（さよなら）」

「ブッチェ　アスタロージネ（気をつけてな）。早く橋を渡れビッチ！　時間がないノフスキー」

対岸のミル‐8のローターが金属音をあげ、唸《うな》りはじめた。

「ノーメル・ドヴァ・セミ・ドヴァ！」

「ナンバー・トゥー・セブン・トゥー、エニバディ？（誰かいるか）」

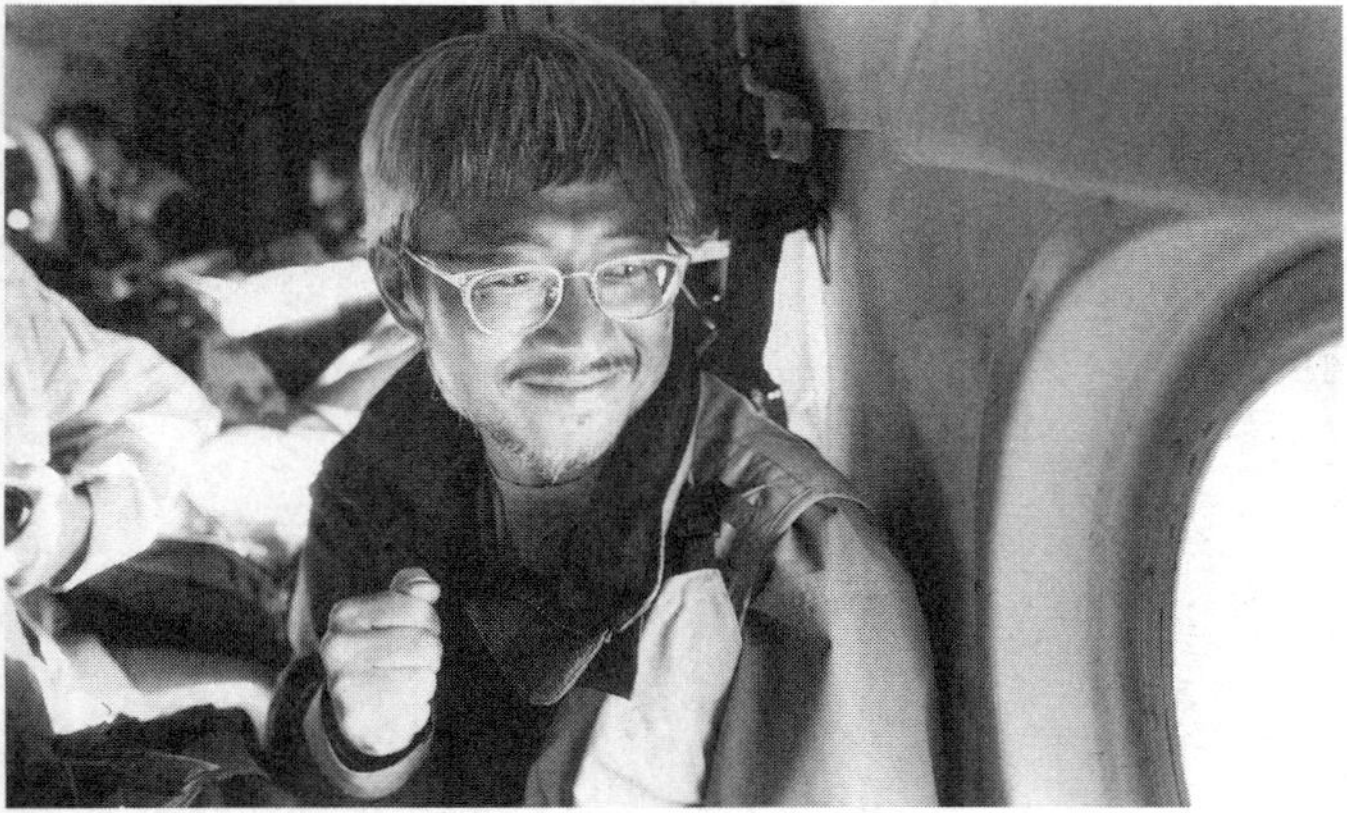

ついに舞い上がった不肖。顔付きが
カワユイのは解脱したからである。

腐れ縁になったスペイン隊のG・クルーニー。
右後ろにボンヤリ写っているのがアナ。

「………」

リストナンバーを次々と読み上げる声をローターの音が掻き消す。もう私の後ろに東洋人はいないはずである。一緒にヘリに乗れるのは一〇人。

ジョージ・クルーニーのジョンとアナとは腐れ縁である。また一緒ではないか。あのクリスを慰めたギリシア人の顔もある。私から四五〇ドルのカーペットを巻き上げたトムも……。皆、喜びで顔を輝かせていた。

「急げ！　すぐテイクオフする」

言われんでも急ぐわい！　六〇キロを超える荷物が少しも重く感じない。無性に涙が出てきた。カブール陥落を見ずにアフガンを去る悔し涙か、それとも文明への帰還する安堵の涙か……。自分でもようわからん。轟音とともにヘリは舞い上がった。待つこと九日目、私はこうしてパンジシールのホテル・キャリフォルニアを脱出したのであった。

高級アフガン・カーペットの行方

トヨタで三日かかったルートをわずか二時間半、ヘリは国境の町ホジャバハウディンにランディングした。

ヘリから見下ろしたアフガンの山々。
この後、山に激突したヘリもあった。

「急げ！　すぐテイクオフする」

パイロットが言うのはこればっかりである。もう一往復するのなら、残ったマーク・レスターたちも乗れるかもしれん。我々は皆で協力して積荷を引き摺り下ろした。そして湧いて出た雲助トヨタに再び荷を積み上げ、一路ダリア川を目指した。夕方五時にはダリア川の艀《はしけ》もクローズである。ここまできたら一分でも早くドシャンベに帰りたい。

私はトムとフランス人記者と一緒に一台のピックアップトラックに乗り込み、運ちゃんのケツを叩いてボーダーへと急いだ。

走ること三時間。すでにとっぷり日の暮れたダリア川が見えてきた。ボーダーの出入国管理事務所はボートハウスであった。出国のため二〇ドルの手数料を蠟燭《ろうそく》の明かりの下で巻き上げられ、私のパスポートに出国スタンプが押された。

ギリギリと気色悪い金属音をあげながら、艀のモーターが鉄のロープを巻き上げていく。ギアが一クリック回るたびにタジキスタンに一〇センチずつ近づいていく。

四日前に朝日のHカメラマンたちがここを渡ったとき、なんとそのロープが切れ、艀はどんどん西の下流に流されていったという。ホジャバハウディンの西側といえば、マザリシャリフの東側に巣喰うタリバンの勢力下である。Hカメラマンは生きた心地がしなかったという。

真っ暗な対岸で我々を待ち受けていたのは、タジキスタンの国境警備を担当するロシア兵たちであった。カーステレオからロシア語のロックがガンガン流れる4WDの中で、私の旅券にタジク再入国のスタンプは押された。

ついにアフガンを脱出した。乗り換えた車の中で私はたちまち眠りに落ちていた。そして二時間後、トムの肘鉄で目が覚めた。

車が走っていたのは首都ドシャンベへ向かう道――。

「おい！　見ろよ！」

トムの顔が煌々と輝いている。うん？　煌々と……。

「うっああ！」

街灯であった。そこから道路両側に街灯が続いていたのである。ポツポツ通り過ぎる民家やアパートの窓からも暖かそうな明かりも漏れている。電気である。文明である。

さらに四時間後、我々三人は体中に五センチくらいの砂埃を積もらせて、なつかしのホテル・タジキスタンのフロントに立っていた。かつて我々がここを発ったときとは違い、ガラガラである。ここに巣食っていた同業者のほとんどは、アフガンにいるか、あるいはもう母国に帰ったのである。

エレベーターの壁には、見たこともないロシア名企業の宣伝ポスターが貼ってあった。そこには「チャーターヘリ、アフガンまで一人二〇〇〇ドル」。

トムと申し合わせ、私はチェックインだけを済ませて、シャワーも浴びずにホテルを出た。目指すは目の前のレストランである。そろそろ閉店の時間なのである。

今にも閉まりそうなドアを押し開け、私とトムはレストランの中に身を躍らせた。目も眩《くら》むようなシャンデリア（のように見えた）、真っ白なテーブルクロス、四本足の椅子が規則正しく並んでいた。

アフガンから戻ったらデートしてくれるハズのオクサナは非番であった。顔見知りの同僚ウェイトレスが、ロシア人には珍しくニッコリ笑いながら我々をテーブルに案内してくれた。

「ベルノルシヤ　ダモイ（帰ってきたの）？　ヤポンスキー（日本人）？」

二、三種類しか残っていないメニューを頼んだあと、私はトムとウォッカのグラスを合わせた。トムは私の話なんぞ上の空で、携帯でオスロのガールフレンドとのろけ合っていた。

まあエエ。ここの勘定はトムのオゴリである。今、トムが話しているガールフレンドのもとに、私が買った四五〇ドルの高級アフガン・カーペットが届けられるのである。もちろん、トムが彼女のために探して買い求めたということになって……。

翌朝、その日のうちにモスクワに帰るフライトのチケットがあっさり取れ、私は帰り仕度を整えていた。チェックアウト前、同じホテル・タジキスタンに泊まっていた朝日のHカメラマンを訪ねた。もちろん、借金の取り立てのためである。

部屋にいたHカメラマンの顔色はすぐれなかった。もちろん、見たくもない債権者の顔を見たということもあったが、しきりに体調不良を訴えていた。さすがの私もとても取り立てを強行する気になれなかった。

後日聞くところによると、私が成田に到着し、北部同盟のカブール入城を知ったその日、Hカメラマンは肝炎のためモスクワの病院に入院した。博打の負け分はお見舞いとしてチャラにしてあげるので、Hカメラマンはありがたく思うように。

金曜日以降、パンジシールの天気は崩れたという。マーク・レスターを含めた二〇人以上のジャーナリストはアスタナ・ゲストハウスで、ほとんど戦争捕虜と化したままであろう。そして、その目の前に立ちはだかるアンジュマン山に車や馬に乗って挑み、雪に埋もれたジャーナリストの数は杳《よう》として知れないのであった。

第11章　乞食街道をゆく

——ガキもおらんのに授業参観

凧《たこ》揚《あ》げて　誰《たれ》か故郷を　想《おも》わざる
不肖

カブールよ、おまえもか

思い起こせば十一月八日、やっとこさやって来た脱出ヘリに飛び乗ったのが運の尽きであった。パンジシール渓谷のタコ部屋でひたすら空を見上げること九日間、まるでサイゴン陥落時のアメリカ大使館屋上に最終ヘリが飛来したかのように、私は飛び乗ってしまったのである。

そして、成田の売店で私の目に飛び込んできたのは「北部同盟カブール無血入城」という新聞の見出しであった。

ウソやろ……。私がジャボルサラジに滞在していた頃、前線はバグラム空軍基地を境に膠着状態であった。なんちゅうても二〇年以上内戦をしていた国である。米軍が空爆を続けたところで、そう簡単に戦況が激変するとは思えんかったのである。

故《ゆえ》に、十一月九日、帰路のドシャンベのホテル・タジキスタンで「北部同盟のドスタム将軍が北部の要衝マザリシャリフを制圧した」と聞いた時、私は余裕をカマしていた。モスクワで「北部同盟がカブールに向かって進撃準備」という速報を耳にした時も、どうせまたポーズやと余裕をカマしていた。続いて「北部同盟、カブールに向かって進撃中」というニュースが流れた時ですら、もうちょっと戦況が緊迫してからまた行こうと余裕をカマしまくっていた。北部同盟のスポークスマン、アブドル・アブドラ外相は「たとえカブールに進攻しても、市街地には入らない」と言うとったのだから——。

それが、あっさりカブール入城なのである。

しかし、まだまだや。タリバンの底力を舐めたらいかん。カブールが陥落しても西部の要衝ヘラートがある。タリバンの故郷カンダハルがある。東部のジャララバードもある。

私はそう思っていた。次々に南方の島を陥落させ、怒濤《どとう》の如く攻め来る米軍機動部隊を目の前にして「本土決戦がある」と余裕をカマしていた大本営みたいなもんである。その後の四八時間以内にヘラートもジャララバードも北部同盟の手に落ちるとは——。オノレの読みの甘さを反省せざるを得んのであった。

しかし、言い訳するわけではないが、北部同盟のあれほど早い動きにビビリたおしたのは私だけではなかった。世界最大の情報機関ＣＩＡを擁《よう》するアメリカ合衆国大統領でさえ、あまりのことにお菓子をノドに詰まらせたというではないか。そして何より北部同盟自身でさえも、呆気《あっけ》に取られていたのである。

ああ、私がカブールに入城する時は北部同盟の戦車の砲身に馬乗りになり、雲霞《うんか》の如く押し寄せるタリバンを蹴散らしながらと思っとったのに……。トホホ……。

鳩まで舞い降りた

ああ、あれに見えるはカブールか……。悪夢のような黄色い大地にへばりつく集落が見えてきた。不肖・宮嶋も出世コイたもんである。二〇〇一年十二月三十日、なんと国連機でアフガン入りである。しかも南アフリカ籍のジェット旅客機、スチュワーデス付き、ついでにイスラマバードからバグラム空軍基地まで往復六〇〇ドルである。

イスラマバードからバグラム空軍基地へはわずか五〇分。国連機はほんの二ヵ月前までタリバンと北部同盟の前線の境界線だった滑走路に着陸した。乗客のほとんどは私の同業者か国連、NGO関係者である。窓から米空軍のV－107バートル双発ヘリが見える。M－16を下げた米兵もいる。

シブい！　この雰囲気。この匂い。やっと硝煙と血の匂いの大地に戻って来た。タラップから一歩アフガンの大地を踏みしめて、私の精神は落ち着きを取り戻すのであった。

しかし、なんか違和感が……。黄色い大地に真っ青な空、風景は二ヵ月前と同じである。米軍ヘリのせいか？　米兵の姿のせいか？

タラップの下で入国スタンプを押されて、私は理解した。秩序である。ファイザバードに着いた時は管制塔どころか、人すらロクにいなかった。旅券はムジャヒディンがかっさ

バグラム空軍基地のゲート。
ディスプレイ？されているのはミグ。

基地内に放置されたままのミグ21の残骸。
ソ連はどれだけの武器を残していったのか。

らっていき、手許に返ってくるまで半日かかった。それが、今ここでは何の混乱もなく速《すみ》やかに行なわれている。さすがに検疫と税関はまだできていなかったが――。

乗客の国連関係者とジャーナリストたちに出迎えの同僚たちが駆け寄る。あちこちでキスが交わされている。これが秩序というものなのであろう。人混みの中に日本人の一団も見えた。

おっ！　由紀夫ちゃんである。鳩山由紀夫センセイが滑走路に佇《たたず》んでおられるではないか。私と入れ違いに帰国されるのであろう。日本の政治家、しかも野党第一党の党首が来るくらいである。アフガンも安全になったのであろう。

傍《かたわ》らにガッチリした肩幅のSP二人が控えている。シュールである。いくら平和ボケの国から来たとはいえ、アフガンにSPを連れて来るとは……。ボディガードが必要なら、ここでは陸上自衛隊レンジャー部隊の一中隊を持ってこんと……。

あの二人のSPの腰にはM60（ニューナンブ38口径）が吊るされているのであろうか。いや、腰抜け外務官僚がそんなことを許すハズがない。まぁ、持っていても、カラシニコフ（AK－47アサルト・ライフル）とRPG－7（対戦車ロケット砲）がゴロゴロの土地で屁のつっぱりにもなるまい。とすれば、万一の時はあのセンセイの楯になってハチの巣になるし

バグラム空軍基地付近の火山が噴火、
したのではない。米軍の空爆である。

「道の両側、地雷に注意」
バグラム空軍基地付近で。

かないのである。さぞかし生きた心地がしなかったであろう。お気の毒なことである。

空港を警備する米空軍兵も暢気《のんき》にムジャヒディンとだべっている。今、この瞬間も東部のトラボラ地区では米軍の空爆が続き、泣く子も黙る米海兵隊がカンダハル西部でタリバン狩りをやっとるとは、とても信じられん。

エプロンには民間機らしい機影も見える。国連機のみならず、この地に展開しだした米軍機、国際警備部隊派遣国の輸送機、果てはアフガニスタン国営航空アリアナ・エアラインまで飛び始めたという。

タリバンが持っていると怖がられたスティンガー対空ミサイルはどこにいったのであろう。制空権を制する者がその下の地を制す。二十世紀後半の軍事の常識はこの地でも当てはまったのである。

山の中には今だにタリバン正規部隊、山賊化したその残党、北部同盟からドロップ・アウトした武装強盗団がウヨウヨしているらしいが、空の上は今やカブールどころか、ヘラート、カンダハル、マザリシャリフまでひとっ飛びである。命の値段を考えたら六〇〇ドルは安い。

通訳ほど素敵な商売はない

アフガンは、復興バブル、停戦バブルのまっ真中であった。空港には、やって来る外国人たちからドル札をせしめようという、有象無象《うぞうむぞう》が蠢《うごめ》いている。

「私は日本人の手伝いをしていたのら」

怪しげなニィちゃんが声を掛けてきた。自称通訳である。

「これが私が手伝っていた日本のジャーナリストの名刺なのら」

見覚えのある、というより、かつて私が三年間持っていた名刺と同じロゴである。

「フライデー？　日本のジャーナリストって、フライデーのことか？」

名刺の主はもちろん顔見知りである。しかし、ここで油断してはいけない。コイツが追い剝ぎやエエかげんな奴ではないという保証はどこにもない。

「ほれで、こいつは太っていたか、それとも痩せていたか？」

「この人もカメラマンも丸々太っていたのら」

フム、間違いない。フライデーの小野記者、藤内カメラマン、ともども百貫デブである。テロ事件直後、ペシャワールまで一緒のタクシーに乗ったお二人である。今回のテロ事件が起こってから、慌ててアフガンに出かけた私と違い、このお二人はタリバン時代のカブールにも行ったことがあるという当地の専門家である。しかし今回はそれがアダとなり、北のドシャンベ・ルートから入る機会を逸していた。カブールが落ちる以前に、雑誌のカメラマンでアフガン入りを果たしたのは私だけであった。あっ、大朝日のアエラもいらしてたのを忘れてた。

まぁ取りあえず、ウソを言う極道通訳でもなさそうである。第一テストは合格である。ナジムと名乗ったこのニィちゃんの英語もかなりアブない。しかし、優秀な通訳はとっくに売約済みであろう。それにファイザバードのアホ通訳アブドルよりはマシなようである。私はナジムに案内され、エプロンからそのままホテルへ直行することにした。

カブールのホテルといえばインターコンチネンタル・ホテル、通称インコンが有名である。NHKやCNNがカブールの町並みをバックに高台からレポートしている、あの場所がインコンの屋上でる。もちろんアフガンでは最高級で一泊四〇ドル。しかし、高台のために水の便が悪いという話である。

水の便が悪い高級ホテルほどタチの悪いもんはない。サラエボのホリデーイン、プリシュティナのグランドホテル、どっちも五つ星だが水が出なかった。そこに大量のジャーナリストが殺到するとどうなるか。クソがてんこ盛り。オーバーな表現ではない。便器から溢れ出るのである。床は小便でベチャベチャ。もちろん、たまらん臭さである。

というわけで、各社どうしているかというと、カブールの民家を借り上げ、そこを支局にしてしている。もちろんインコンに居座っている社もあるが、民家を借り上げたほうが快適で安上がりなのである。

しかし、それも面倒なので「いいホテルがある」と言うナジムに任せることにした。まるで温泉街の駅前で宿の客引きに捕まった、そんな感じであった。

檻の中の生活

ナジムに連れて行かれたムスタファ・ホテルはカブールのほぼ中心地、大通りに面したシケた五階建。入口にカラシニコフを持った門番が立っていた。

早速、出てきた支配人はヒゲをさっぱりと剃り落とし、サングラスをかけた怪しい奴である。なんでケガをしたのか、左腕を吊っている。「ワイス」と名乗った後、アメリカ英語でペラペラと喋り始めた。

「アメリカで育ったもんでなぁ……。なあに困った事があったらオレに言いな！　相談に乗るぜ。ここにぁ、お仲間が一杯さ、寂しくないぜ！」

そう言いながらワイスは壁を指した。

「お、おう!」

壁一面には、滞在中のジャーナリストの所属するメディア名がペンキで書かれていた。「CBC CANADA」「USA TODAY」「WASINGTON TIME」。ワシントンポストでないトコがよう分からんが、それに「TV TOKYO」「THE YOMIURI」「TOKYO SHINBUN」まであるではないか!

宿泊客のほとんどは同業者。プレス・マンションだったのである。部屋はシングル三〇ドル、ツイン五〇ドル、東京のビジネス・ホテル並みの広さであった。大通りに面した側とその裏側に客室があり、増築中らしく工事の騒音が響いている。

私にあてがわれたのは四〇一号室、同じ飛行機に乗って来た西日本新聞の記者と同室である。ジャボルサラジの下宿とほとんど同じ一人一泊二五ドルということになる。トイレは共同、バスはなしである。

それにしてもけったいなホテルである。ホテルというより刑務所である。なんちゅうても壁がない。ほんなら隣の部屋との仕切りはどないやというと、これがすべて鉄格子なのである。四面みんな鉄格子。それやったら周囲から丸見えやないかというので、ガラスを

上から３行目に注目！　これだけで10ドル。
ムスタファ・ホテルのフロントにて。

貼って白ペンキが塗ってある。

ジャボルサラジではガラスさえなかったので、これだけでも大進歩なのだが。しかも部屋にコンセントがある。いや安心するのはまだ早い。ジャボルサラジの下宿にもコンセントがあった。電気の来ていないコンセントが、である。

ところがあ！　この部屋には電気ストーブまで転がっている。恐る恐るコードを差し込んでみると、なんと！　ウィーンという音とともに赤くなり始めるではないか。しかも真っ昼間から。

私は慌てて共同トイレにダッシュした。洋式便所には便座があった。つまみを引き上げると水が流れた。洗面台もある。ついでに水道の蛇口もある。捻ると、水が出た。私はあまりの感動に思わず、座り込み、その水を掌にすくってみた。

トイレには水を張ったバケツが一〇個ほど並んでいる。停電になった時、井戸水を汲み上げるポンプが止まってしまうので、貯めているのであろう。当然、風呂はここのバケツの水かお湯で浴びることになるのであろう。

週刊文春カブール臨時支局はこうして、カブール・ムスタファ・ホテル四〇一に構《かま》えられた。フロントの壁にはハースト新聞の下に「THE SHUKAN BUNSHUN」とペイントされた。もちろん一〇ドル払って書いてもらったのである。

同宿者は同業者ばかりだが、何ちゅうてもガラス一枚向こうが隣室である。音は筒抜け、人の影もガラスに写る。四〇二号室のアメリカ人記者二人は時差の関係か夜中に電話をかけまくり、うるさいことこの上ない。インマル特有のカン高い呼出音がフロア中に響き渡る。

廊下を挟んだ向かいはめったに部屋にいないが、これまたアメリカ人のパッキン・ババア。どっかで見たことがあると思っていたら、イスラマバードのタリバン大使館での記者会見で、他人の迷惑顧《かえり》みず、グイグイ押し捲《まく》ってケンカばっかりしていたババアであった。

ババアの隣に読売新聞の記者が一人で住んでおり、隣が共同トイレである。三階に読売新聞、東京新聞、TV東京の支局、二階がメシ屋である。

醬油のある生活

早速、町に買い出しである。市場には野菜、肉などがてんこ盛りである。ニンニク、大根、唐辛子、人参、玉葱、じゃがいも、ニラ、ネギ、カブ……。茄子のシーズンは終わっているらしく、代わりにカリフラワーが八百屋のスペースを占めていた。

果物もりんごとオレンジがてんこ盛りである。どれも信じられんくらい安い。もちろん日本人にとって、である。

おかしい……、これだけ食糧が豊富なのに、なんで食卓に生玉葱とか生トンガラシしか並ばんのであろう。なんで羊の肉はあないに臭いのであろう。

ジャボルサラジでは夕方五時には全村閉店だったが、ここは少し閉店が遅いようである。少なくとも食糧事情は北朝鮮以上である。

それに、どの店でも水を売っている。パキスタン産のネッスル製のブツである。アフリカで売ってたような、けったいな腐れ水ではなく、味のちゃんとした水である。つい一ヵ月前まで水なんか売ってなかったハズである。だから一本一ドルも出してペプシを飲んでいたのである。

これはごっつい楽である。ごっつい進歩である。ジャララバードが陥《お》ちてから、パキスタンへの陸路が開き、さまざまな物資が続々と流れ込んでいるのであろう。

ムスタファ・ホテルの裏のチキン・ストリートがいわゆる骨董品や土産物通り。その先がフラワーロードである。どっちも車が一台通れるぐらいのシケた通りである。フラワー通りは造花の商店があるのでそう呼ばれているらしいが、それじゃあタリバン時代は何を売っていたのであろう。二カ月ほど前まで、音楽、映画、凧揚げ、あらゆる娯楽は即刻逮捕。動物や人間を絵に書くことすら御法度《ごはっと》。造花屋は商売上がったりであったろう。進歩である。文明である。

このフラワー通りにはスーパーまでできていて、店の前には国連要員の乗って来た白いランクルや英軍の車両が止まっている。史上最も原始的な国のスーパーである。日本のコンビニを見慣れた目には……と一歩入って目が点になった。

「ス、ス、スゴい…」。

店内が暗いのは電気代をケチッているのであろうが、商品は天井までうず高く積まれている。洗剤、歯ブラシなどの日用品は言うに及ばず、食料品がスゴい。何でもある。パキスタン、イラン、UAEなど、近場のイスラム国の製品が多いのはしぁないが、鰯の缶詰、シーチキン、ジャム、ソーセージ（もちろん牛肉）、チーズ……。

キッコーマンの醬油まである。キッコーマンである。ベトナムあたりのニョクマムでない。正真正銘の醬油である。進歩である。文明である。私は醬油の瓶を顔に近づけ、思わず、涙をチョチョ切らせた。

食糧、水、調味料ときたら、次はどうしても嗜好品《しこうひん》である。タバコは一箱五〇セントのハイライトとセブンスターはどっちもエセだが、品揃《しなぞろ》えは成田の免税店より確実に多い。ベンソンアンドヘッヂスなんて、成田では見たことないブランドまで売っている。進歩である。文明である。

酒は天下の廻りもの

そして御法度の酒はというと、これがなんと、売っている。タリバン時代は外人でも見つかると確実に逮捕だったブツがスーパーの店頭に並んでいるのである。

私はあまりの感動に打ち震えながら、思わず缶ビールを手に取った。どっかで見たことのある缶である。ハイネケン、バドワイザーでは、もちろんない。ツボルグ、ギネスのわけもない。ロシア語か――。

これで私のカブール生活はバラ色に変わる。私はビールが飲めないので、こんなもんは一ドルでも欲しくはないが、ビールがあるっちゅうことは、他のアルコールも絶対あるハズである。それにロシアの缶ビールがあるっちゅうことは、私の大好きなウォッカもあるハズである。

カブール市内の写真屋。私以外にも
デジタルではないカメラマンがいた！

ごったがえす両替所。一応、需要と供給に
よってレートは変動している様子。

「で、おっさん、コレなんぼ?」

さっきから私の後ろを頼みもせんのに引っ付いてくるスーパーのおっさんに尋ねた。

「二〇」

「アフガニーか? パキスタンルピーか?」

「ドルだ」

このおっさん、ナジムよりずっとマシな英語である。

「に、に、二〇ドル?」

缶ビール一本が二〇ドルである。二六〇〇円。二五〇ミリリットル入りのロシア製の馬のションベンみたいなビールが二〇ドルである。たしかロシアでは一ドルくらいのもんである。すると末端価格で二〇倍である。この国ではビールがまるで麻薬並である。

「おっさん、ウィスキーかウォッカ、あるか?」

おっさんは黙って頷《うなず》いた。

「なら……、見せてくれ」

「……」

「銘柄見たいんや」

「アカンビッチ！　ゼニ出したら、奥から持ってくるノフスキー」

　英語がロシア語に変わった。ふーむ……ビールは店頭にあるが、ウィスキーのような高アルコールスピリッツともなると、やっぱりシャレにならんのであろう。さしずめ、ビールがマリファナならウィスキーはシャブなのである。

「それで、なんぼや？」

「ストー（一〇〇）」

「ルピーかディナールか？」

「ドル！」

　ど、ど、どないなっとるんや。ビール二〇ドル、ウィスキー一〇〇ドルである。日本で一〇〇ドルといえば、スコッチのシングルモルト一八年ものか、バーボンの最高級クラスである。

「ちょっと前まで八〇だったが、今は一〇〇ドルだビッチ。この頃は需要が多くてなスキー。またすぐ値上がりするビッチ……一二〇か一五〇に」

　平均月収二ドルの国で一〇〇ドルの酒を売っているのである。日本で考えれば、一本三〇〇〇万円ちゅうレベルか……。そんな金額、酒やのうて家とか金塊の値段である。

五分ほど待っていると、おっさんはダンボール箱を抱えて来た。なんや、一本やのうて一ダースの値段なんか。びっくりさせやがって——とダンボール箱を受け取ると妙に軽い。うん？　やっぱり一本？　箱を開けて中を覗き込もうとする私の手をおっさんが凄まじい勢いで押さえた。

「ヤバイビッチ！　宿に帰って見ろノフスキー」

イヤーな予感がしてきた。しかし、げに恐ろしきは酒呑みの執念。一〇〇ドルと引き替えにダンボール箱を受け取った私は急いでムスタファ・ホテルに戻ったのであった。

そして箱を開くと、丸めた新聞紙が詰まっていた。そもそも新聞自体がない土地である。よほどの貴重品なのであろう。スゴい！　なんやホンマに金塊でも入っていそうである。新聞紙の中から一本の瓶が出てきた。私がガキの頃、飲んでいた三ツ矢サイダーみたいな古〜い瓶である。韓国の左巻き学生が火炎瓶に愛用していた真露《ジンロ》の瓶にも似ている。

(た、た、確かに……ウォッカ……のようやが)

一応透明だが、瓶の底にはおりものが沈んでいる。いったい、いつのや。もしかしてビンテージ物か……。ウォッカもワインと同じく古ければ古いほど味がまろやかになって値が張るのであろうか。

ラベルはむちゃくちゃ古い。糊が剝げて、ほとんどボロボロ。表記はロシア語のようだが、見たことのないラベルである。何々……タジキスタン？　なんやタジク製かいな。まだマザリシャリフが陥ちて間もないというのに、もう北から回ってきたんかいな。ソ連軍進攻時はまだタジキスタンはソ連の衛星国の一つで、独立していなかったハズである。するとモロ密輸品である。

それにしても小さな瓶である。五〇〇CC瓶やないか。それに中身がやけに減っとる。瓶の首どころか肩までしか入っていない。実質四〇〇CCぐらいである。も一つおまけにキャップが何やアルミのけったいなやつ。

（これ、漏れとるんちゃうか）

まさか国連機で運んできた訳がない。すると二ヵ月前、私が通って来たすさまじい道というか山の中を通って来たんかいな。それなら漏れないほうがおかしい。というより瓶が割れなかったのが不思議である。

いや、ちょい待てよ。こっちで空き瓶に詰め直した、その後で適当なラベルを貼り直した可能性も……。疑いだしたらキリがない。たしかジャボルサラジの下宿で同室だったフランス人がチャリカルのヤミ酒屋でグラッパみたいな密造酒を買っただとか、そこで買った酒がメチル・アルコールで体調を壊したなんて噂も流れとった。オトロシや……。

しかし、一年間で一〇〇本のウォッカを空ける私である。エチル・アルコールとメチル・アルコールの区別ぐらいはつく。ちょっと時間は早いが、早速栓を抜いた。

「スカッ!」

栓を抜くと言うよりフタが取れたと言うほうがピッタリである。よくこんなフタで、一〇〇CC程度の漏れ、もしくは蒸発で済んだもんである。取りあえず匂いを嗅いでみる。飲み慣れたウォッカの匂いである。

タジキスタンも一応イスラム国とはいえ、タリバンのような原理主義ではなく、イスラム教シーア派、要はエエかげんなイスラムなのである。しかも数年前までは国名がソ連だったのである。したがって今もロシア人がぎょうさん住んでいる。当然、タジキスタンで作られるウォッカはロシアのそれとそっくりなハズである。

匂いは大丈夫。私は取りあえず、瓶に口をつけてグビッと一口、放り込んだ。ワインではないので口の中でグニュグニュみたいなことはしない。

うん!　ちょい薄いが、ウォッカである。間違いなくエチル・アルコール分のウォッカである。すると、こんな五〇〇CCもない安物、バッタ・タジク・ウォッカが、ドシャン

カブール市街の朝の出勤風景。自転車は
ほとんどすべて中国製。

べのキヨスクで五ドルもしないもんが、ここカブールの末端価格で一〇〇ドルである。

まぁ、ちょいと前までは、飲むどころか持っているだけでブチ込まれるか殺されていた、シャブのようなブツとはいえ、一〇〇ドルである。まさに値段もシャブ並ではないか(買ったことはありませんので推定)。

しかし、大変なことになった。こんな町、酒ナシではやっとられん。なければ諦めもつくが、売っとるのである。不肖・宮嶋、毎日元気に働こうとすれば一日三〇〇~四〇〇CCのガソリンが要る。するとそれだけで一日一〇〇ドル弱、一万円以上のゼニがかかってしまう。毎晩、池袋のキャバクラに通うくらいのゼニが、安ウォッカだけにかかってしまうのである。これは先が思いやられる……。

うーん、イカン、イカン。酒はちょっと控えたほうがエエんちゃうかという、これはアラーの神のご忠告であろうか。

地獄の沙汰もエロしだい

酒ときたら次はもうネェちゃんだが、こればっかりは、この土地にいる限りは指をくわえてるしかない。ネェちゃんもおるにはおるであろう。タリバン崩壊後はブルカ姿が通り

カブール市街にタリバンが放置していった
戦車の残骸。

に溢れている。しかし、ネェちゃんなのかババアなのか、ブスなのかベッピンなのか、下手したら男かもしれんのである。

「エエイ、かまうかえ！　穴さえあったら」なんて気持ちで引っ掛けてしまうと、とんでもないことになる。近年、かつての元気さを失っているとはいえ、まだ半月刀で切り落とされたくはないのである。

ちなみに某大手全国紙の若いニィちゃんカメラマンは、若いゆえか、アフガンの途中のパキスタン入国時、カブール支局から頼まれたという酒とエロ本を持ち込んだ。ちなみにエロ本はＳＭスナイパーだったという。エエ根性しとるもんである。

パキスタンの正式国名はISLAMIC REPUBLIC OF PAKISTAN、アフガンほどではないが、バリバリのイスラム国である。酒はチャイである。ほとんどすべてのレストランに酒はないのである。エロはかっての日本どころか、チチが見えてもチャイである。

そのくらいのことは知っていたハズなのに、ペットボトルに移し替えもせず、ボトルのまんま三〜四本、しかもＳＭスナイパー付きである。さすがにビロビロまでは写ってないだろうが、おケケはバッチリであろう。そんなもん抱えてイスラムの税関を通ろうとしたのである。

成田に拳銃とシャブを持って入るようなもんである。結局、手荷物のX線検査で餅を焼く金網が引っかかり、その確認のためにスーツケースを開いて、すべてがチョンバレとなった。カラチの税関中、大騒ぎになり、SMスナイパーの前には黒山の人だかりがして、非常にみっともなかったという。

まあ、若気《わかげ》の至りでいい勉強になったであろう。本当はそのニイちゃんの名前も知っているのだが、彼の将来のため、特に名を秘すので、今度会ったら酒をおごるように！

カブール・ケータイ屋殺人事件

秩序は回復しつつあり、文明の光も届き始めていたが、治安がよくなったとはとても言えない状況である。夜十時以降は外出禁止令が出ているが、そんなものなくともマトモな人間は夜、外へ出ようとは思わない。

ムスタファ・ホテルのマネージャー・ワイスは包帯を巻いた左腕を首から吊っているが、戦闘や事故で負った怪我ではあるまい。戦時バブルの俄《にわか》成金の彼は、我々から一人一日二五〜三〇ドルの宿泊代を得る一方で、ホテル裏手にオフィス用とは別の宿泊棟を日夜、工事しまくっている。そして、車や通訳の手配、交渉に頭を痛める我々に、その斡旋《あっせん》をし、インマルサットの貸し出しまで行ない、さらにはアフガン・カーペットの販売、営業まで持ちかけている。左腕の怪我は、その成り上がりぶりを妬《ねた》んだタリバンの残党あたりに襲われたものとしか思えん。

ムスタファ・ホテルに出入りしていた悪党ケータイ屋は、我々の予想どおりに殺されてしまった。コイツは当初、ザ・ヨミウリの支局に出入りし、罰当たりにも暴利を貪《むさぼ》っていたのだが、東京新聞カブール臨時支局にも営業をかけて、暴利のカラクリを渡部記者に見破られてしまった。渡部記者は「もう許さん。今度見かけたらブチ殺したる」と怒りまくり、我々に注意を促《うなが》してくれていた。

そして数日後、悪党ケータイ屋は本当に殺されてしまったのである。もちろん東京新聞の渡部記者がヤッタのでも、ヤラせたのでもない。朝、溜まり場のレストランで茶を飲んでいたら、突然、強盗に押し入られ、そのまま車に詰め込まれて拉致《らち》されたのである。午後に発見された時はすでに冷たくなっていたという。手口からして北朝鮮工作員の仕業かもしれん。

比較的安全に思えるカブールでさえ、こうである。地方はもうムチャムチャである。反タリバンイコール北部同盟ではないし、北部同盟自体がその名のとおり、いくつものグ

旧ソ連大使館に住み着いた国内難民。
村に帰っても、待っているのは地雷ぐらいか。

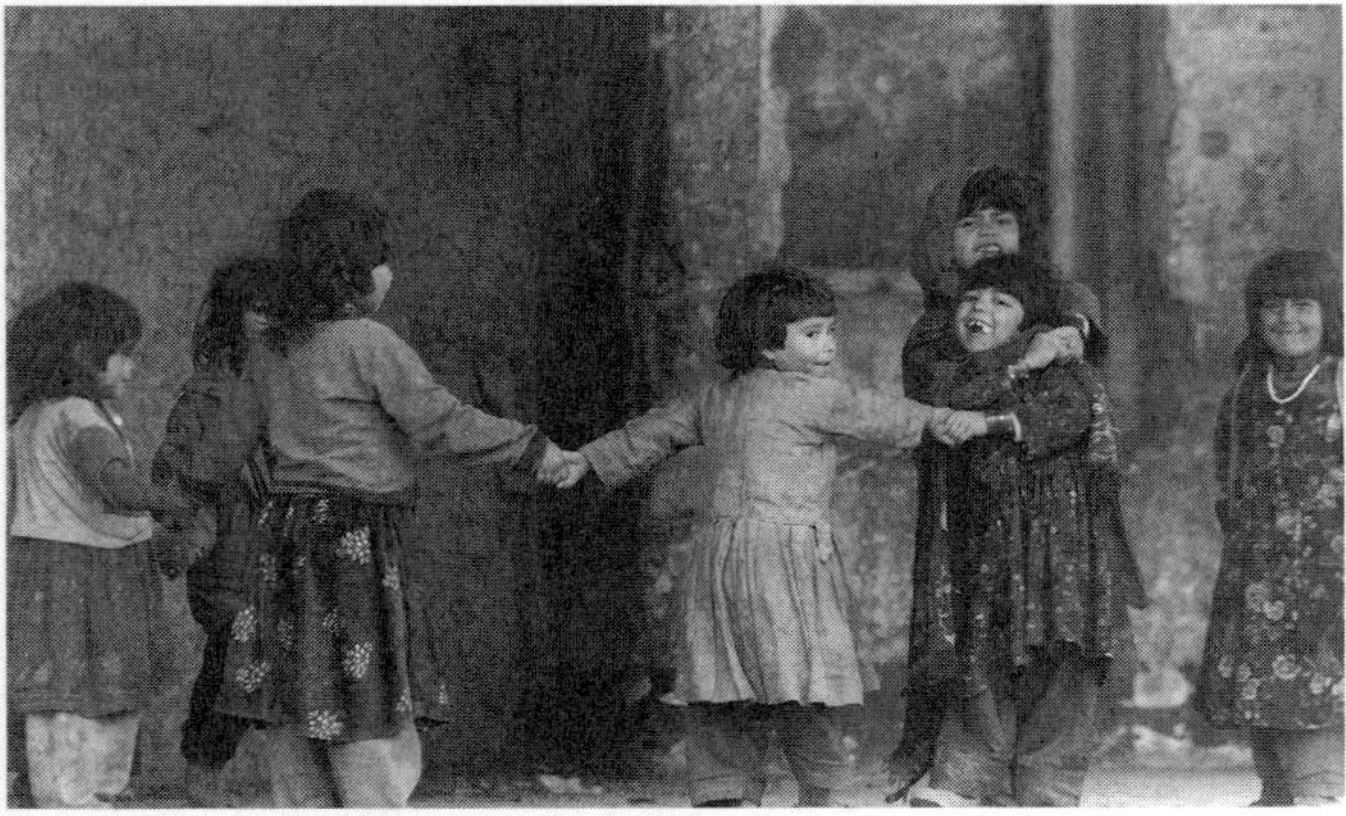

こんな状況でも、同じ年頃のガキが集まれば楽しそうに遊んでいる。戦争にも日常があるのである。

ループの連合軍であって一枚岩ではない。そして、それぞれのグループは人種と宗教と利権によって複雑な経緯《けいい》を背負っている。

たとえば今回の北部同盟進撃の立役者ドスタム将軍はウズベク人だが、暫定政権の閣僚に入れなかったとヘソを曲げている。彼の一派が落としたマザリシャリフは北部の要衝《ようしょう》である。カブールとウズベキスタン、タジキスタンを結ぶ交通の要《かなめ》。ここを陥落させることは、北部同盟への武器弾薬の補給上、非常に大きかったのだが、それはドスタム将軍にとっても大きかった。

つまりマザリシャリフを手に入れれば、ウズベキスタン、タジキスタンから流入する武器、支援物資を一挙に握れるのである。ドスタム将軍とその一派が、マザリシャリフを落とすためにあれだけの血を流した理由はそこにある。だからタジク製のウォッカが一本一〇〇ドルもするのである。

ドスタム将軍はソ連進攻時、カルマル傀儡《かいらい》共産政権の閣僚であった。ところが、ソ連軍とムジャヒディンの戦いが激化し、ムジャヒディンが優勢と見るや、あっさりカルマルを見限り、ムジャヒディンに寝返った。そして北部同盟に合流したのである。ソ連軍が撤退し、北部同盟がカブールに入城した時、兵士たちの強盗、略奪、強姦は目を覆うばかりであったが、当然、ドスタムとその一派も蛮行に加わっていた。

それればかりか、今回のマザリシャリフの戦闘でも、捕虜にしたタリバン兵に残虐行為を働いたという噂である。生きたままタリバン兵の腹の肉を裂き、その皮を胸まで剝いで頭に被せたまま縛り、ロバに乗せてタリバンの陣地に送り返したという。

北部同盟の有名な将軍でさえ、コレなのである。ちょっと山に入れば、ミニ・ドスタム、山賊もどきがゴロゴロおり、やりたい放題にやって、その犯行をタリバンのせいにしている。アフガン東部の町ジャララバードと首都カブールの間は特に物騒《ぶっそう》で、最近は制服を来た米兵まで襲われる始末である。

誰か故郷を想わざる

不肖・宮嶋、今までにロクでもない所で新春を迎えてきた。もちろん外国で迎えたことも多々あった。卒業旅行で女子大生が向かうハワイやヨーロッパなどではない。湾岸のテルアビブ、モザンビーク、カンボジアのタケオ基地、果ては南極大陸の氷の上で初日の出を仰いできたのである。

そして二〇〇二年の正月は砂漠で迎えようとしている。女なしで、である。今回のテロ事件さえなければ、私も自分で自分を誉めてあげるために、東ヨーロッパあたりで新春を迎える予定であった。ザグレブのラダか、ハンブルクのアンチェか、美女とシャンペンを傾け、その後しっぽり濡れ、スッポンポンでホテルのベランダから彼女の肩を抱き、初日の出を拝む。そういう壮大なプロジェクトだったのである。

それが、どこでどう間違えたか、アルカイダとビンラディンのせいで、こんな所にいるのである。いや、人のせいにしてはイカン。

私が北部同盟のカブール入城のタイミングを読み間違え、かつゼニとフィルムが切れ、アフガンから逃げ出してしまったことが原因である。

おまけに週刊文春誌上の不定期連載で「この借りは返す」だとか「落とし前をつける」だとか「ラマダン明けにまた会おう」なんて、調子に乗って書いてしまったからである。女にウソをつくのはまったく意に介さんが、八〇万読者にウソをつくわけにはイカン。公約を守らん日本の政治家以下にはなりたくないから、自腹を切って帰ってきたのである。クリスマスも正月も砂漠で迎えるのは、やっぱりオノレのせいなのであった。

といっても、パキスタンにもアフガンにもクリスマスはない。当たり前である。アメリカに仏滅がないのと同じである。ついでに正月もない、これも当たり前である。この国に

カブールの英軍基地。これが日章旗を
翻したわが自衛隊であったら――。

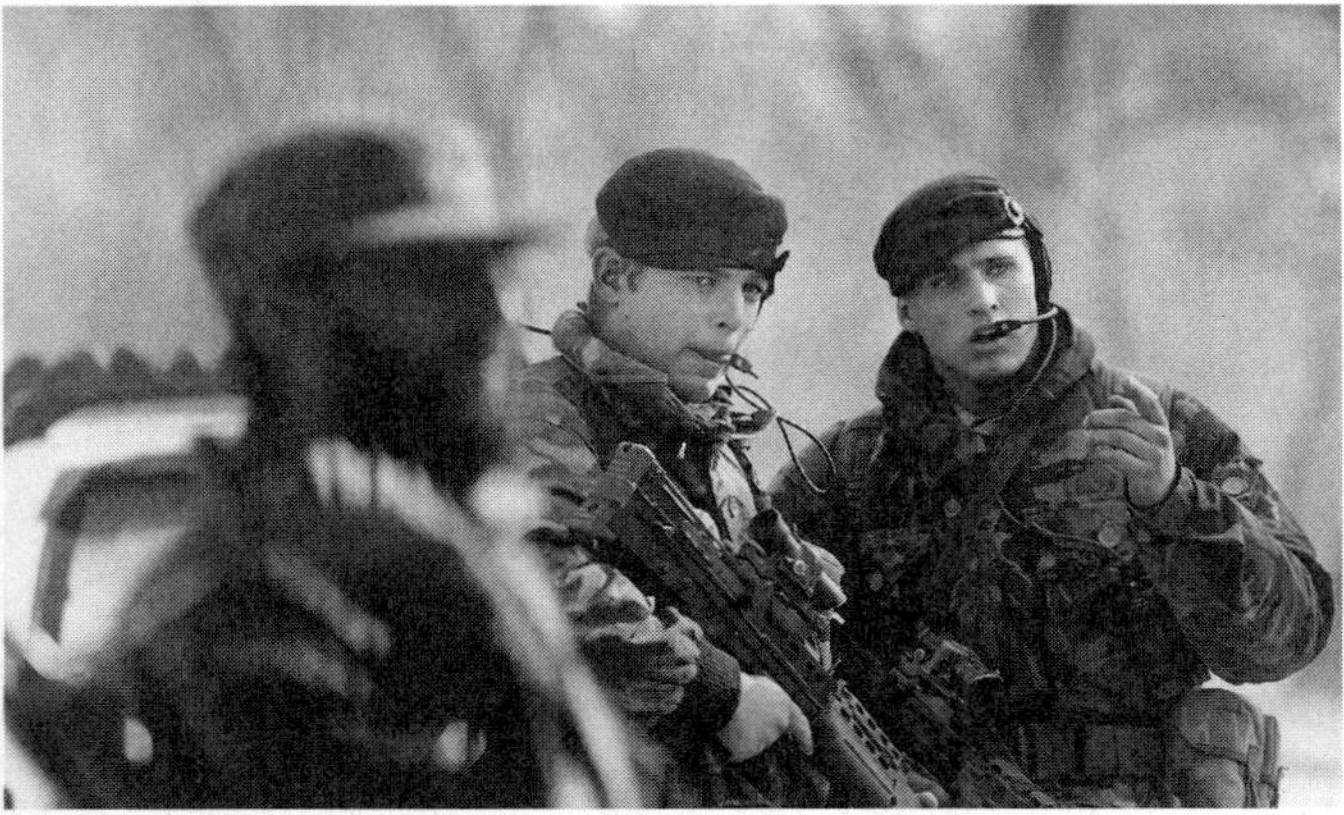

国際警備部隊の英国軍兵士。
手にしているライフルはＬ－85。

はイスラム暦しかないから、十二月三十一日と一月一日の間には何もないのである。テレビの低俗特別番組も門松もおせちも年賀状もなーんもナシ。日本の正月を思い起こさせるのは、タリバンがいなくなってから解禁になった凧揚げぐらいである。もっともアフガンの凧はケンカ凧で、日本の奴凧のような風情のあるものではない。ガキどころか大人も混じって落としっこをしている。

排ガスに煙《けむ》るカブールの町、日出る方向が日出る国である。今頃、日本の家庭ではおせちの準備で大わらわであろう。上野のアメ横も最後の追い込みであろう。故郷明石では老父母が静かに厳《おごそ》かに新年を迎えようとしているであろう。おっ、一句できた。

凧あげて　誰《たれ》か故郷を　想わざる　不肖

日本と四時間半の時差である。夕方には紅白歌合戦が始まっている。ラジオジャパンの短波放送では全曲生放送中だろうが、さすがに夕方からジャニーズ系の歌は聞く気にはなれない。

というわけで、カブール一の人格者、共同通信カブール臨時支局長の長谷川記者が、支局での忘年会に誘ってくださった。十時の外出禁止令前にはホテルに帰っていなければならないので、夕方早い時刻からの忘年会である。

有難さで涙がこぼれる。今回は取材費が一円も出ないというのに、他社の方がここまで気を使ってくださるとは……。やはり不肖・宮嶋、現場こそわが家、修羅場こそ団欒、メディアを超え、会社を超え、現場で同じ苦労を味わった戦友こそ真の友であった。

私もなけなしのウォッカをぶら下げ……たら、滅多に見ない警察に捕まってしまうので、ペットボトルに詰め替え、共同通信カブール支局に向かった。

ムスタファ・ホテルに差し回して下さった車で連れて行かれた支局で、私は思わず目を点にした。各国大使館や新日本大使館が立ち並ぶ一角にある豪邸である。

まず門番が居る。ジャボルサラジでは下宿の小僧から運転手と、ありとあらゆる怪しげな人種が勝手に入り込み、原田カメラマンと屋上で野グソまでタレていたというのに、ここには門番である。しかも庭がある。

もちろん土足厳禁。電気もしっかり来ている。一階が支局オフィスで二階が住居と使い分けている。一階はかなり広く、ストーブに暖炉まである。ジャボルサラジではこの半分ほどの広さに五人が寝泊りしていたというのにどえらい出世である。

「えらい楽しちゃって……、びっくりしました」

長谷川臨時支局長の開口一番であった。当初はホテル住まいだったのだが、狭いのを理由にすぐこの豪邸に移ってきたという。入居時は一ヵ月二〇〇ドルだった家賃が、調子に乗った大家に七〇〇ドルまで値上げされてしまったという。それでもホテルより遥かに経済的である。

食堂はもちろん別室。コックまでお抱えで、日本人好みの料理法を教え込んでいるところだという。ツナサラダ、カレーなど、コックの心尽くしのアフガン風料理が用意されていた。メンバーは長谷川臨時支局長、ジャカルタ支局から応援にきた八谷記者、東京からきた井沢カメラマン、臨時支局員の安井氏、それに不肖・宮嶋であった。

静かな大晦日であった。午後七時半、日本時間平成十四年一月一日午前〇時、我々はウォッカのグラスを上げ、新年を迎えていた。

仕事始めは女子高で

翌元旦はとりあえず長旅の疲れを癒して……というわけにはいかなかった。いつものように朝は凄まじい騒音とクラクションの音で目覚める。アフガンに正月なんて概念はない。この日はとりあえずモスクに行って初詣、みたいなこともない。私は元旦から通訳のナジムを呼び、取材に出かけるのであった。エライ!

カブールの住宅地。窓はみんな四角い穴に。
とりあえずビニールが必要であろう。

元旦の朝も早よから出かけたのは、始まったばかりの女子高である。せっかく女の園に行くのに手ブラでは申し訳ないと、ちゃ～んと手土産を用意した。五〇ドル相当分のノートと鉛筆である。編集部から一円の取材費も出ないのに、自腹を切るエライ不肖・宮嶋であった。

訪れたマリアン高校の校長は、アポもなしで押しかけた哀れな東洋人カメラマンを自らが案内、授業を見せてくださった。十代の女子学生三〇〇〇人が授業に来ているという。不肖・宮嶋、ガキはいないが、いたらこれくらいの年齢になっていてもおかしくはない。柄にもなく少々たじろぐ。父兄の授業参観ちゅうのはこんな感じなのであろうか。一歩、教室に入って、私のお屠蘇《とそ》気分は吹っ飛んだ。素顔なのである。

町ではブルカを被っているが、校内ではちゃんと素顔を堂々とさらしている。この国で一気にこれだけ大量の女の顔を見たのは初めてである。けっこう仕上がっとるのもおる！　ハクいのもおる！

一瞬、そのような気持ちが湧き、鼻の下がわずかに長くなったのを否定するものではない。しかし、私をビビらせたのはまったく別の感動であった。

ガラスもないクソ寒い教室に満ちていた熱気である。電気もなく、机も椅子もない。

マリアン高校の生徒たち。この高校に日本の女子高生を
留学させたい。授業料は不肖が払うから、どや？

皆、地べたに座ったまま膝の上に教科書を広げている。その粗末な教科書も全員が持っているわけでない。一冊の教科書を何人もが膝を交え、見つめているのである。

黒板はあるがチョークがない。ノートや鉛筆ですら持っている子はめったにいない。それでも皆、懸命に学ぼうとしているのである。

タリバン支配下の六年間、女性は教育を受けることを禁じられていた。外出も禁じられていた。彼女たちにとって「失われた六年間」なのである。こ、こ、これは……アフガンの女に対する考えを改めなイカン。

月二万アフガニー（八〇セント）の授業料を払えるのは恵まれたほうであろう。この狭いボロボロの校舎に三〇〇〇人。ほんでもって先生が四八人しかおらん。一応、公立だというが、もちろん先生に給料が払えるハズがない。この学校を成り立たせているのはゼニではなく、学びたいという思い、教えようという志なのである。

その真剣さに感動すら覚える。科目はイスラム教、ダリ語、パシュトゥーン語、英語、科学、数学、歴史と宗教以外特に変わった教科はない。

皆、私が持参した子供だましのノート一冊、鉛筆一本ですらありがたがってくれ、口々に学校に来れて本当に嬉しい、勉強は本当に楽しい、将来は私は医者よ、科学者よ、教師

この目で見つめるアフガンの将来はバラ色か。
真剣な表情に思わず、こっちがビビる。

よ、ジャーナリストよ、と夢を語る。

スッチー、女子アナなどロクに社会の役に立たぬ職業に憧《あこが》れる、どこぞの国の女どもとは大違いである。「お願いですから学校へ来て下さい」「行って下さい」と拝み倒しても「ウザい」「ダルい」と繁華街をうろついたり、パソコン、ビデオに囲まれて一歩も部屋を出ないガキより、よっぽどマトモである。

来週から東京でアフガン会議が開かれる。我が国政府はアフガン復興のために六五〇億円の援助を用意しているという。あれほど女性の権利を主張される土井たか子先生は何をされているのであろうか。彼女を党首にいただく社民党はこういう時こそ出番である。お得意のボランティアで、なぜアフガンに来て汗を流さないのであろう。

いや、イカン。あの方々がアフガンに来たら大変である。ブルカは焼き払われ、フリーセックス、人工中絶を奨励するであろう。熱血センセイを「給料が安いんじゃないの」と焚き付けて組合活動に向かわせ、私以上に国際問題になるのは間違いない。なんちゅうても社会主義下ではイスラム教という宗教すら認められないのである。

そこで！　アフガン会議のニュースを見て、黒柳徹子さんたちの話を聞いて、財布の紐が緩くなった皆さんに、村上龍氏の『あの金で何が買えたか』風に、この不肖・宮嶋が解

すでに日本の学校にはなくなってしまったが、
ここにはあった。学びたい、知りたいという熱気が。

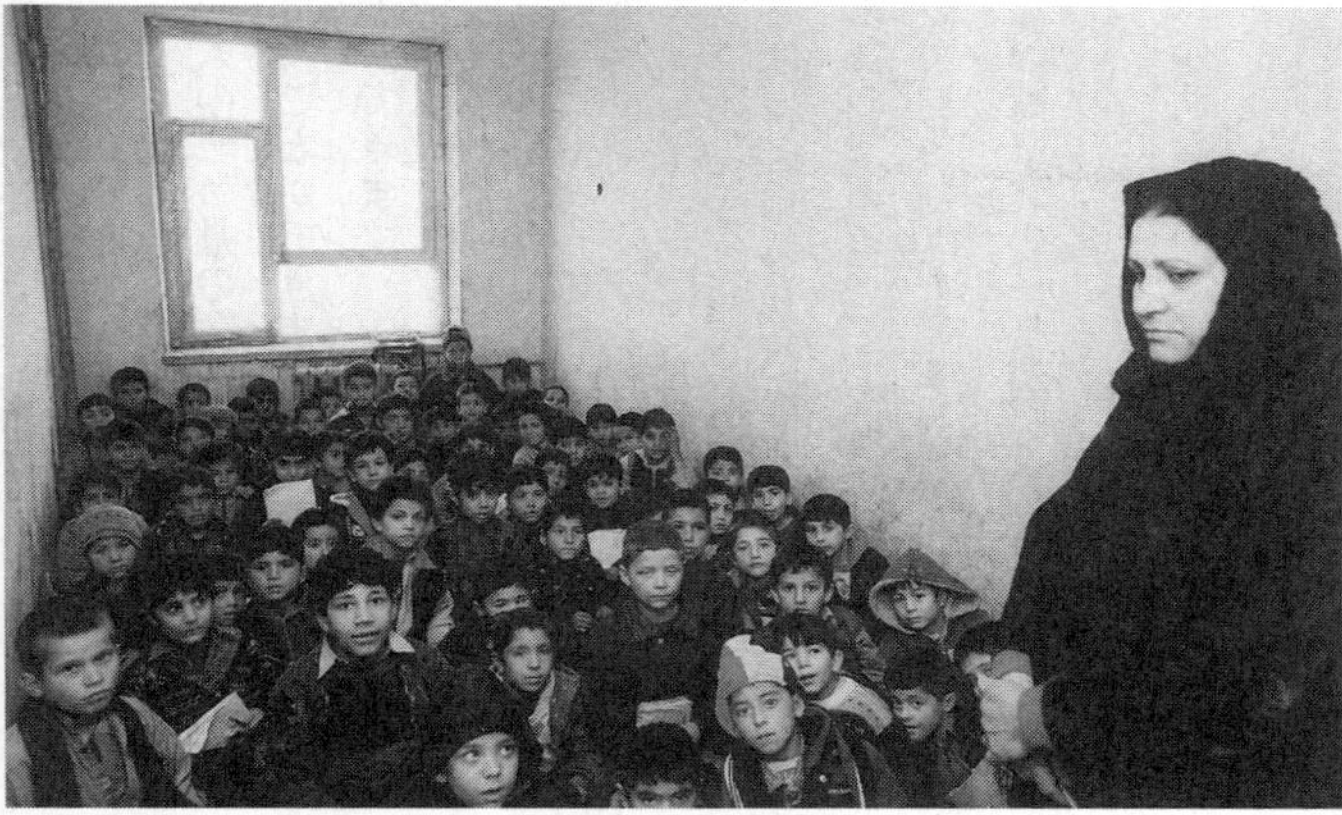

女子高だけでなく、ちゃんと小学校にも取材に行った。
まるで東京の通勤電車なみの教室。

説させていただこう。

渋谷のセンター街でほっつき歩く女子高生一人の一ヵ月のケータイの通話料で、マリアン高校の三〇〇人の学生に一本ずつ鉛筆を買うことができます。その女子高生が援交で得た金で、全学生にノートを一冊以上買うことができます。

あなたのガキが「テレビゲームでも買え」と与えられたお年玉をカキ集めるとマリアン高校の全学生の一ヵ月分の授業料が払えます。そしてダイエーが踏み倒した金でアフガニスタンの一年間の国家予算が賄《まかな》えます（かな?）。

バーミアンのバーバリアン

せっかく自腹を切ってカブールまでやって来たのである。ここは一発、地方まで足を伸ばして、ちょっとでもギャラを稼がねばならん。というわけでバーミヤン遠征を思い付いた。カブール―バーミアンは地図で見たらほんの数センチ。しかし、その行程は片道一〇時間のドライブである。

なぁに、この宮嶋、ファイザバード―ジャボルサラジの地獄の三日間ドライブを完走したのである。一〇時間なら東京―明石間のドライブみたいなもんであろう。

英軍基地内で催されたアフガニスタンの国技
ブシケク。騎馬で羊の肉を取り合う競技。

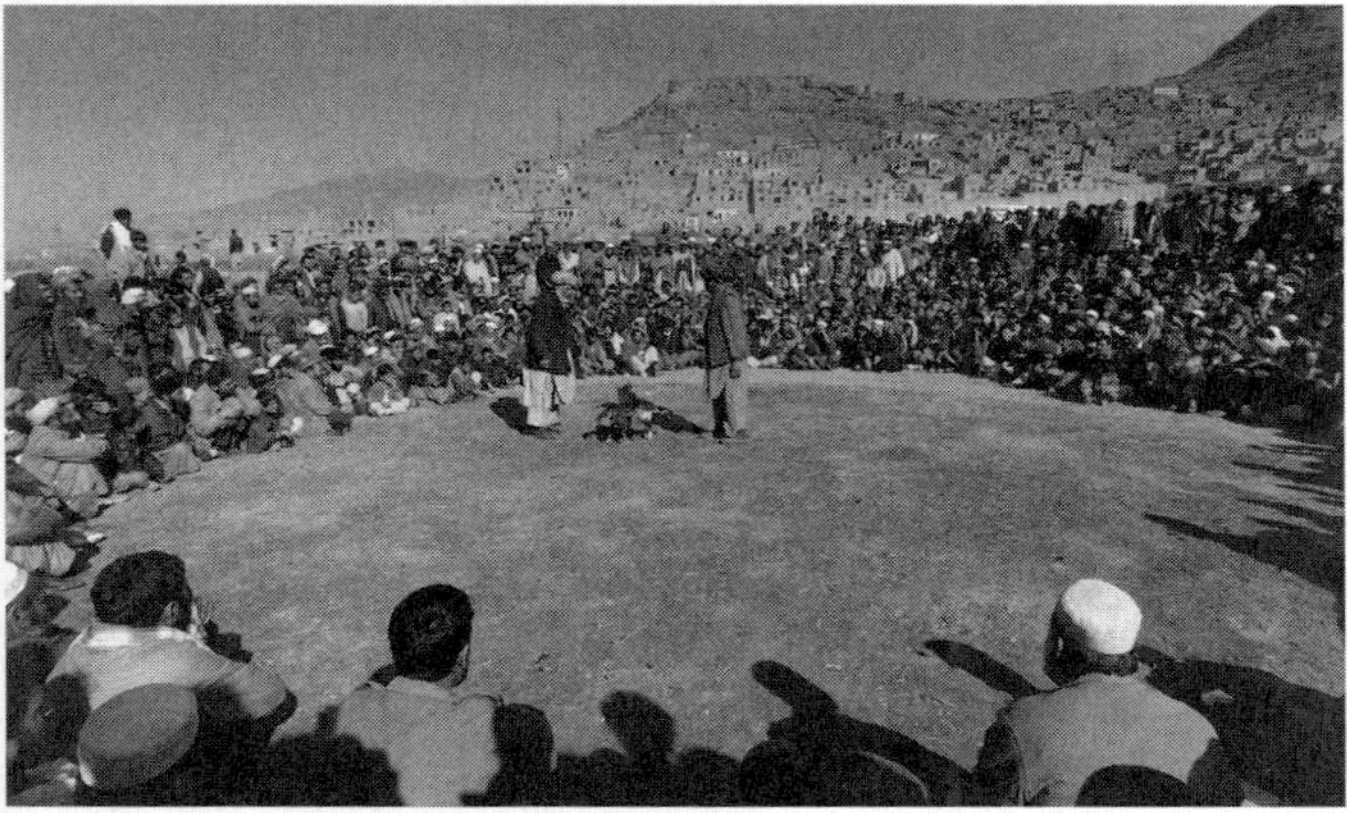

タリバン支配下では禁じられていた闘鶏が再開。
ボクシングのようにラウンド制である。

とは言うものの、ファイザバード―ジャボルサラジ間にタリバンはおらんかったが、バーミアンは御存知のとおりバリバリのタリバンが支配していた地域。挙句の果てに大仏までぶっ飛ばしてしまった所である。残党がどこに潜んでいるかわかったもんではない。

ここはやっぱり寄らば大樹の陰なので、仏教に並々ならぬ関心を抱いていた共同通信の井沢カメラマンをたぶらかし、文春と共同通信の相乗りバーミアン取材となった。なんちゅうても天下の共同通信である。取材費もくれず、電話一本よこさない冷たい編集部（シツコイ）と違い、人命第一、社員の命は地球より重い会社である。海外出張に出かけるカメラマンに保険もかけてくれない編集部（重ね重ねクドい）なんぞとはちゃうのである。

我々はバーミアンを仕切るコマンダー、というよりバーミアン地区一帯に住むハザラ人の首領ハリリ氏のカブール・オフィスにナシをつけた。エスコートの兵隊を借り出すことに成功したのである。

ハザラ人は北部同盟の一角を成すイスラム統一党の一派で、またの名をハリリ派とも言う。アフガンを構成するタジク人、ウズベク人、パシュトゥーン人と違い、人種的には明らかにアジア系、日本人と同じような顔をしている。また、宗教もタリバンのようなイスラム原理主義でなく、穏健なイスラム教スンニ派である。

北部同盟の兵士を訓練する米軍兵士。
問うと「所属も名前も答えられない」。

言うことをきかんかったガキをムチでシバく長老。
アフガンの日常風景である。

というわけでぇ！　文明の都市カブールとは一時おさらば、再び私は原始時代にバック・トゥー・ザ・フューチャーではなくパーストすべく、早朝カブールを出発したのであった。

コンボイは共同通信の井沢カメラマンと八谷記者、アフガン人助手、運転手、それにハザラ人の武装兵士一名がトヨタのランクル一台に、不肖・宮嶋とチョイと頼りない通訳ナジム、そしてその従兄弟が運転するランクルが一台である。

道中の治安はハザラ人武装兵のおかげで何とか乗り切れるであろう。しかし、もう一つ、ごっつう不安があった。度々で申し訳ないが、やっぱりゼニである。せめて、もう一社誘えば、私のランクルに一人か二人乗せれば、ナジムとランクルに払うゼニが半分、三分の一になったのである。

しかし、今やカブールはかっての少数の専門家の独擅場ではなくなったのである。怪しげなフリー（私も含めてです、もちろん）、特に日本の週刊誌に売込みをかけんとする食い詰めた自称ジャーナリストがゴロゴロしているのである。

ここでそんな同業者まで引っ張って行ってしまうと、もしくは私がバーミアンまで出かけたことが知れると、抜け駆けされる恐れまである。

乞食街道

朝、渋滞が始まる前のカブールをあっさり抜け、二台のランクルは愚かにも競走するかのようにチャリカルの町へと北上した。運ちゃんが熱くなったのか、共同通信のランクルは遥か先に行ってしまった。アホである。何のために二台のコンボイを組んだと思っているのであろう。

チャリカルの町はタリバンがカブールにいた頃、最前線の町であった。私もここでロケット弾攻撃を受けたもんである（第9章）。このチャリカルの町をもうチョイちょい北上すると、私が下宿していたジャボルサラジである。ランクルはチャリカルとジャボルサラジ間の途中の山道を西に折れ、後は山間部を一気に西に駆け登っていった。

凄まじい悪路と砂埃がやってきた。狭いでこぼこ道の片側は切り立った崖である。ガードレールもなし。谷底の流れには転落したトラックが転がっている。出来立てのホヤホヤの落下トラックも見え、河原に布をかけられた死体らしきものも転がっていた。こういうシャレにならん道ではタリバンや山賊より事故や故障のほうがよっぽど恐い。

だから、わざわざ二台でコンボイを組んだというのに、まったく、アホを雇うと命取りである。砂埃が細かくなってくるなか、人の二～三人跳ねてもかまわん勢いでランクルをぶっ飛ばす。車外は凄まじく冷えてきた。標高が上がってきたのである。横を流れる川もすっかり凍てつき、積雪が始まった。

そのクソ寒い中、不良乞食が増えだした。この悪路の穴をスコップで修復し、その道を走るドライバーから施《ほどこ》しをもらうという、まあ、アフガンの道路公団みたいな連中である。もちろんガキが多い。中には一心不乱にスコップを振るっている者もいる。祖国復興の愛国心に燃えて、というわけではない。おそらく寒いので身体を動かさざるを得んのである。

ところが、ときには車が見えてから慌ててスコップを握る要領カマシや、ロクに動いていない横着者もいる。コイツらはタチが悪い。ゼニを払いそうにないと分かると投石するのである。バーミアンへの道はまさに乞食街道なのであった。

しかし、いくら悪路といったって、道が見えるだけマシである。人が居るだけマシである。パンジシールの道はこんなもんやなかったでぇ！

不肖・宮嶋、余裕をかまし、この悪路の中、何時でも、何処でも、誰とでも寝られる本領を発揮し、英気を養っていたのであった。

「だんな！　バーミアンにようこそなのら！」

「うん？」

私は何がムカックといって、男の声で叩き起こされることほどムカックことはない。無意識にナジムの座っている助手席に蹴りを入れた。

「………」

な、な、なんや、これ……、夢かいな……。私は本当に頬をつねった。目の前に拡がっていたのはカメラマンが我が目を疑う光景であった。谷一面、全部が洞窟だらけである。そして、その中で一際大きいのが、タリバンに爆破されたあの大仏の穴か……。その谷が夕日を浴びて真っ赤に染まっているのである。

地上の楽園

谷一面が、村を囲む谷がぜーんぶが遺跡やないか。傍には清らかな小川が流れ、ガキどもが我々の車を珍しがって追っかけてくる。皆、弟か妹をオンブしたままである。収穫を終えた農民が手を振ってくる。なんちゅう平和な、なんちゅう大きな自然、宮崎駿の「風の谷のナウシカ」に出てくるような村である。

私は目から鱗をボロッと落とした。パラダイスや。楽園とは何かがわかった。それはキャバクラでミニスカに囲まれたソファーの上ではなく、こういう所を言うのである。カブールに帰ったら、ナジムは私にいくら吹っかけるのであろう。五〇〇ドルか一〇〇〇ドルか？

しかし、この光景は充分、そのくらいのガイド料に値する。あの大穴に大仏まであるとしたら、凄まじい、天文学的な観光資源になること間違いない。世界遺産とは暴走族が走り回る姫路城でなく、ここバーミアンに相応《ふさわ》しい言葉である。ただし、大仏があったなら、であるが。

夜はハリリ氏の事務所で紹介されたゲスト・ハウスに泊まった。電気、水道、ガスのない不便な生活も、あのバーミアンの谷を見た感動から気にもならなかった。

翌朝、早々に目覚めた我々はゲスト・ハウスを飛び出て、大仏の穴に向かった。小さな谷間の村のゲスト・ハウスからは大仏の穴がすぐ近くに見えていた。歩いても、さして時間はかからないように思えた。しかし、それは目の錯覚であった。谷が近かったのではなく、穴が巨大なために近くに見えていただけなのである。

谷に向かって左の大きな穴が男の仏像、右のちょい小ブリなのが女の仏像、真ん中ともう一ヵ所が子供の仏像があった穴である。

大仏の穴の前に戦車の残骸、にも見えるが、これは望遠レンズの圧縮効果。
両者間約500メートル。空気の澄んだ無風状態ならではのワザ。

真下で見る大仏の穴は……、まさか、これほどでかいとは。都会と違って高さを比較するものがないのでピンとこなかっただけである。なんと高さ五三メートルだという。ビルの一〇階以上の高さである。足元には石がうず高く積もっていた。この石ころをここで写真に撮り、ペシャワールあたりまで運ぶと、写真付きでかなりの高値で売れると聞いたが、共同通信の方々と一緒だったので泣く泣く諦めた。その巨大な仏のなれの果てに殺風景なシルバーのビニール袋がかけられていた。

「何じゃあ！　こりゃあ！」

よく見るとユニセフの文字が記されている。なんや黒柳徹子がもう来たんかと思ったら、そうではなかった。三日前にスイス人の学者がやって来て、保存のため、大仏の破片にビニール袋をかけてしまったのである。余計なことをしやがって、撮影の間だけビニールを剝がしたろ！　と近付いて、すぐに諦めた。その石、いや岩自体が無茶苦茶でかい。ビニールを剝がすだけで大変な作業になるのである。

弟や妹をおんぶしたガキどもが遠目に我々を見ていた。私と同じ黒い髪、黒い目をした東洋系の顔、ハザラのガキどもである。

こいつら、まさか……。さっきこの周りを車で一周した時のガキどもか？　珍しいので車を追いかけてきたのである。赤ん坊をオンブしたまま。

ここは標高二五〇〇メートル、富士山の五合目より少し高い所である。私なんかちょいと歩いただけで息が切れる。年のせいではない。低酸素のためである。それを、ここのガキどもは赤ん坊をオンブしたまま凄まじい勢いで、この急な崖を走り回っている。

こりゃあ、アフガンが復興したら、オリンピックの陸上競技はアメリカの黒人選手に代わってアフガン人のメダルラッシュであろう。

奥さまは二十歳

同じ東洋人顔のせいであろうか、ガキどもが警戒を解いてきた。これが白人だったら、こうもいかんのであろうか。同じガキでもメガネをかけてぶくぶく太って塾に通う日本のガキよりよっぽど健康そうである。

「こっらあ！　仕事をせんか！」

私はナジムのケツを蹴り上げ、通訳させた。ガキどもはなんと大仏の穴の横に無数にある洞穴《ほらあな》に住み着いた国内難民ならぬ町内難民だという。ここらあたりを支配していた無法者タリバンに家を焼かれ、三〇〇家族、約二〇〇〇人の難民がこの谷の窟《あなぐら》に住んでいるのであった。

　ガキどもを引き連れて、早速、窟式住居に向かう。凄まじい勾配である。三歩上がって息が切れる。ガキに余裕で追い越される。薪や水を運んでいるガキにである。

　窟の住人たちは実にフランクであった。女性もブルカなしである。五歳くらいの女の子に手を引かれて入ると、その子とそっくりの女性が乳飲み子を抱えていた。乳飲み子の様子がおかしい。私の見たところポリオである。ポリオなんてワクチン打ったら絶対防げるのに、そのワクチンすら買えんのである。この国にはワクチン接種を行なえるような政府がないのである。

　お母さんは二十歳だという。とてもそうは見えない。エライ老けて見える。目尻の皺も深い。自分の年も数えられんのかいな……。お母さんが二十歳で、案内してくれた女の子が五歳なら、この二人は姉妹か……と思ったら、本当の母娘であった。

「何人子供が？」と尋ねると「一五歳で結婚して、五人の子持ち」と言う。五年連続で産めば老けるわけである。日本で二十歳といえば最もキャピキャピした年頃である。私はこの場に田嶋陽子センセイがいないことをアラーの神に感謝した。

　窟の中は結構快適そうであった。なんちゅうても暖かい。それに埃も少ない。奥にはし

日本人と同じ顔つき。運動量は豊富、栄養状態も
悪くないように見えるが——。後方の穴が住居。

窟の中の一家。撮影を許してくれたが、カメラを向
けると二十歳の奥さまはスカーフで顔を隠した。

っかりロバまでいた。どこの家も皆、子沢山である。この谷の地で生活し、農業をするには日本の誇る農業機械は役に立たないし、彼らには買えない。ガキが多いのは、テレビがなくて夜ヒマということもあるが、労働力として子どもが必要不可欠なのであろう。

覆水、盆に還らず

大仏の穴の周りをよく見たらぎょうさん横穴もある。せっかくバーミアンまでやって来たのである。入ってみよか。私は再びナジムのケツを蹴り上げた。

「とっとと、穴のてっぺんまで案内せんかい！」

「だんな！　大丈夫なのら？」

「うるさい！」

ナジムは元ムジャヒディンというだけに体力がらみの仕事には心強い。穴に入りもしない共同通信の助手と違って頼りになった。ただし、共同通信の助手のほうが英語は数倍うまく、インテリであった。穴のすぐ脇に垂直に縦穴があった。

「おい……ナジム？　これ、まさか……」

「そうなのら…登るのら……」

非常によく似た兄弟。双子か？
後ろは子供の仏像の穴、そして彼らの家（穴）。

ナジムはスルスルと登り、上から手を差し出した。これは思ったよりもシャレにならん。攀《よ》じ登ると上に続く階段が見えた。しかし擦り減って砂まみれでズルズルである。穴の内部はひび割れだらけ、気軽に手も触れられない。強固な堤防も蟻の穴から崩れるという。私がチョイと押して穴全体が崩れてしまうと、タリバンに続く文化遺産の破壊者として、私の名前が歴史に残ってしまう。それにこの穴が崩れたら、私自身も死んでしまう。ヒーヒー言いながらもナジムに手を引かれ、ケツを押され、穴を攀《よ》じ登っていくと、階段の穴自体が崩れてしまっていた……。

「行き止まりなのら」

「アホ！　見たら分かるわい！　とっとと降りんかい！」

私はホッと胸を撫で下ろし、縦穴を降り始めた。その時であった。ズルッと足を滑らせたのは。ドッスン、　ガラガラガラ……。

私は階段の角に指を引っかけ、息を殺していた。下からナジムが恐る恐る私を見上げていた。砂がサラサラ……とナジムの顔に落ちている。

「大丈夫なのら？」

「うん」

大仏様が見ていた風景。戦いさえなければ、
この地の人にはパラダイスであったろう。

私は落ちてない……。そしたら今のガラガラっちゅう音は……。体が妙に軽い。恐る恐るベストに手を入れると、レンズが、ない。出発前に買ったばかりの定価二四万円の望遠レンズである。これやったら、私が落ちたほうがよっぽど安くついた。またキャノンの報道機材課で「クラッシャー」と陰口叩かれる……。私の連続取材時ぶっ壊し記録はまた更新された。保険会社にはまた泣いてもらおう。穴の底には私の身代わりに、見るも無残なガラスと金属の固まりが砂まみれで転がっていた。

しばらくしてナジムのボケはご主人様の私が命令もせんのに、穴の頂上に登るルートを見つけ出してきた。もう本格的な登山であった。しかし登山と違い、頂上での喜びはない。そこになーんもないのが分かっているのである。

そして、そこにはやはり何も残ってなかった。ただ巨大な穴だけがあった。そして凄まじい高さである。五三メートル、ビルの一〇階やとお――。もっともっと高いやないか。第一、私は高いとこが嫌いなのである。そもそも高いとこに登りたがるのはアホと煙ぐらいである。カシコイ私は登りたくないのである。

足が竦《すく》むというより足が動かせん高さである。落ちたら死ぬというより、グシャと潰れて土になってしまう高さである。ここにあの仏像を作った人は一番偉いが、ここにキッチり壊れるように効率よく爆薬を仕掛けたタリバンも——。エラくはないが、よくもまあ、この高さで爆薬をセットしたもんである。

スイス人の学者はこの仏像を復元すると村民に言ったらしいが、そんなことはムリである。ムリイイイ！　である。いったい正確な図面が残っとるんかいな。写真やビデオはあるだろうが、誰がこの高さまで登って作業するんや？

どれほどの人手とどんな機械と、どれだけの金がかかるのであろう。ドーバートンネルを掘り、奇跡を起こした日本のゼネコンも今やオノレの足元がグラグラである。日本が約束した五億ドルを使い切ってもムリではないだろうか？

そのゼニを他のために使ったほうがエエかもしれん。五億ドルあったら、あのマリアン高校がいくつ作れるであろう。偶像の復元より人間の教育に使ったほうがいいのかもしれん。

タリバンは文化の破壊という人類の大罪を犯しただけでない。ハザラ人から将来にわたって得られるであろう観光資源まで奪ったのである。

しかし、そんなタリバンを野蛮と非難できるほど、日本人は上等であろうか。わが国では鮎がピチピチの清流に次々とダムや河川敷が現われる。京都では近代建築という美名のもと醜悪なマンションやホテルが古都の景観を台無しにしている。

凶悪犯の立て籠もり現場を中継するNHKのTVカメラの前を、ピースサインを出しながらアホが走り回る。そんな国に、他国の文化に口を出し、援助をする資格があるのであろうか。ゼニがあるからやる、それだけなのか——。

真っ青な東の空を見上げて憂鬱になる不肖・宮嶋であった。

あとがき

まったくシャレにならん取材であった。二度目のアフガン入り（第11章）はともかく、ドシャンベからファイザバードに飛んだ一度目のアフガン取材は、我ながらよく無事であったと思うほどである。

チャリカルで受けた砲撃はホンの五〇メートル脇に着弾していたのだが、それ以外にもずいぶんとアブナイ橋を渡ったもんである。

ファイザバードからジャボルサラジに向かった初日、ポーランド隊のボイテックとクリス、ギリシャ人カメラマンを乗せたヤズが谷底に転落したが、あれが我々のピックアップトラックでもおかしくはなかった。

ボロボロではあったが、車がトヨタで、運ちゃんの腕がよかったから、落ちなかっただけである。まあ、そのような選択をした私がカシコイのではあるが――。

我々のピックアップトラックに収容してやったクリスは「恩にきる」と言い、ワルシャワの連絡先を記した紙を私に渡した。

なんちゅうても私は命の恩人なのである。「パッキン碧眼《へきがん》のケバイのを四～五人」と言えば、すぐに見繕《みつくろ》ってくれるハズであった。

一仕事終えた私が、早速ポーランド・ネェちゃんとの親善を図《はか》るべく、膨らむ胸と股間を押さえつつ、クリスの記した電話番号を回したのは言うまでもない。

「宮嶋じゃ！　クリスはおらんかい？　カメラマンのクリスや！」

ところが、電話に出たのはけったいなオッサンであった。

「クリス？　誰ですかいのぉ。カメラマン？　知らんのう」

送ってやった掲載誌も、すべて宛先不明で戻ってきた。私の下心を見透かしたのか、そんな甘ちゃんではなかったのか。

おえ、クリス、あまりの不運に電話番号を書き違えたのなら、赦《ゆる》してやらんでもない。今からでも遅くないから、パッキンを届けるように。

アンジュマン峠でも死ぬかと思った。頭痛っちゅうのは脳細胞がブッ壊れているらしいが、ホントに割れるほどの頭痛であった。どれくらいの脳細胞が死滅したのであろうか。あれ以来物忘れが激しくなっている。オトロシイことである。

九日目にようやく乗ったパンジシールからのヘリは、以後数日、天候が崩れて飛ばなかった。この間に北部同盟はカブールに入城するのだが、居残っていたマーク・レスターらはパンジシールからカブールに駆け付け、取材のチャンスを得た。

早々とヘリに乗れたイタリア人レポーターのラファエロがパレスチナで命を落とし、九日目で乗った私がカブール入城を逃し、乗れなかったマーク・レスターが取材できたのである。

その頃、私は日本への帰路、モスクワのシュレメチェボ空港にいたのだが、その待合室のテレビでエアバス墜落の映像を目にした。またテロかと思われたアメリカでの墜落事故である。とてつもなくイヤーな予感がした。事故機とまったく同じ機種のエアバスに乗ろうとしていたのである。それが無事、成田に到着し、ホッと胸を撫で下ろしたところで、カブール陥落の報に接したのであった。

一方、パンジシールでは、再びヘリが飛んだ時、アスタナ・ゲストハウスにいた同業者たちを震え上がらせる事故が起きていた。

飛び立ったミル－8が山に激突、乗っていた全員が死亡したのである。一時、その中に産経新聞の佐藤記者が含まれているというデマが流れ、現地の日本人記者たちは慌てふためいたという。

こうした紙一重の運不運をかいくぐって、私のアフガン取材は終了したのである。写真は何度かにわたって週刊文春誌上に掲載され、不肖・宮嶋、久しぶりに賞と名の付くもんをいただいた。

TBS「噂の東京マガジン」の週刊誌中吊り大賞……。ありがたいことである。

一緒にアフガン入りし、苦労をともにした共同通信の原田カメラマンは（私が帰国した後もアフガンに残り、カブール陥落を報じた）二度目の社長賞を受賞した。さらに二度目の新聞協会賞も受賞した。新聞カメラマン多しといえど、新聞協会賞を二度も受賞した者は他にいない。快挙である。おめでとう！

そして、私より一足早くパンジシールを後にした共同通信の及川記者は、ジャボルサラジで内示を受けた社長賞に続き、なんとボーン上田賞を受賞した。あのボーン上田賞である。産経の黒田氏、桜井よしこさんといった錚々《そうそう》たるジャーナリストが受賞しているボーン上田賞である。

たしかに米軍の空爆開始を世界に先がけて報じた功績は大きい。しかし、どのような功績も、アピールしなければ見過ごされてしまうことだってある。

何を言いたいかって？　私が撮ったアノ写真である。チョビ髭の及川記者がロンドンから到着した便座を首に掛けている写真（81ページ参照）。あれが週刊文春に掲載され、ボーン上田賞の選考に多大な影響を与えたに違いないのである。週刊誌中吊り大賞の私は、そう信じてやまない。及川記者にも、おめでとう！

それにしても、この不肖・宮嶋の才能と実績が世界の写真界に認められる日は、いったい、いつになったら来るのであろうか。

本文に記したとおり、アフガン取材中、私のアタマには幾度も引退の文字が浮かんだ。しかし、週刊誌中吊り大賞で引退するわけにはいかんのである。筆を置く前に現役続行を宣言しておく。

平成十四年晩秋

宮嶋茂樹

解説——遠くの灯《ひ》を見ながら

勝谷《かつや》誠彦《まさひこ》

初めて私が不肖・宮嶋と名付けて彼を世に送り出したのは、自衛隊がペルシャ湾に掃海艇を派遣した時のことである。そして、一緒に作った最初の単行本『ああ、堂々の自衛隊』は、これまた初の自衛隊の海外派遣となったカンボジアＰＫＯの物語を取材したものであった。

思い出して欲しい。あの時、朝鮮労働党の友党であるところの日本社会党は国会の場で牛歩なる戦術をとり、国民を愚弄《ぐろう》した。

拉致被害者の方々は、その間もあの独裁国家のいわば牢獄に入れられたままであった。拉致などあり得ないという土井たか子の指導のもと、社会党議員どもが国会の壇上をノロノロと歩いてやがる間にも、その何人かの命は失われていたかもしれないのである。

奴らが崇拝する偉大なる将軍様本人が拉致を自白するに至り、さすがに彼らも事実を認め謝罪した。しかし、あれほど反対した自衛隊の海外派兵は、その後続々と続いており、各国から高い評価を受けている。

にもかかわらず、かつてそれに散々反対し、命を的に出掛けていく自衛隊隊員たちに罵声《ばせい》を浴びせたことに対する反省や謝罪はついぞ聞いたことがない。

どうなんだよ、おい。

もし、奴らが謝罪と反省をきちんとして、それを文書にして残すなら、おそらくは電話帳何冊分かにもなるであろう。そして、それは矛盾と錯誤に満ちたものとなり、組織としてはもはや時代の中で生き残っていけないことを知るであろう。

この間、不肖・宮嶋もあまたの本を出してきた。その本の内容に、いささかのブレでもあるであろうか。ないのである。宮嶋茂樹は、一貫して宮嶋茂樹であった。はじめはキワモノのように見られた彼の言動が、今や、あたかも時代のスタンダードのように扱われているのはご存じの通りだ。

私はそのことにいささかの驚きも感じない。私たちは遠くの灯を見ながら真っ直ぐにそちらへと歩いてきただけだからである。

おそらくは、世界中の「現場」を踏んだジャーナリストたちは同様の灯を見ていたことであろう。そのことは、本書の中に出てくる記者たちが、国や所属を越えて交流していることでもわかる。それこそが本当の「グローバル・スタンダード」なのだが、日本の不思議なところは、せっかくの、そのコモンセンスに満ちた現場の素材が、築地の人民宮殿などに持ち込まれると、左巻きのハイヤー馬鹿がわざわざとんでもない料理に調理して国民に供することなのだ。

宮嶋の場合は、背後にその愚劣な調理人がいない。バックアップすべき週刊文春グラビア班の放任ぶりについて、彼は「いまごろは合コンにでもお出かけなさっているのであろう」などと嘆き、元はその一員であった私は微苦笑を誘われるのだが、それはそれで今言ったような理由からすれば尊い放任とも言えるのだ。でも、もうちょっと電話とかには出てあげてね（笑）。

その思想信条について些《いささ》かのブレもないとはいえ、やはり宮嶋も人間、ここ十数年でいくらかの変貌を遂げてはいる。本書を読みおえて、私はその感慨を抱いた。宮嶋、お互いだが、貴様も歳をとったな。体力的な愚痴が以前よりもはるかに多くなった。
「もう十分や。何のために、誰のために、こんな地の果てまで来てしもたんや……。この仕事終えたら、やっぱり引退しよう」

その気持ち、よーくわかる。恐らく、このアフガン取材は彼の中で、南極と並んで厳しいものだったのではないか。彼とは別にだが、私も南極に行った。あの絶望感、裸で投げ出されたなら数分も保《も》たずに死ぬという予感は圧倒的なものがあった。どんなに厳しくても汚くても、人間やはり南の国では死なないのだ。モザンビークやカンボジアでの宮嶋の嘆《なげ》き節《ぶし》に、どこか余裕があるのはそのためなのだ。

今回のアフガンでも、南極と同じように逃れようのない辛苦が彼を捕まえている。それは、高度だ。大気の薄さなのである。この点についても、私は彼とはこれまた別の機会ながら、日本人としてはなかなか味わえぬ試練を受けたことがあり、読みながら何度もあの苦しみを思い出して頷いた。

私の場合はチベットだった。平均高度四五〇〇メートル、最高高度五六〇〇メートルというチャンタン高原を三五〇〇キロ走って、チベット仏教の聖地であるカイラス山まで行ったのである。本書の中に車の話が何度も出てくる。そうした場所では車だけが命綱なのである。

そして、単独で走行することの恐ろしさも私はしみじみと知った。かならず二台でお互いが見える距離で走る。そうでないと、一方が故障した時にそれはそのまま死を意味するのだ。そういう所では、運転手は修理工場ひとつくらい経営できる腕がないといけない。

本書の中でも、シャフトが壊れるという致命的な故障が出てくるが、私の場合はトヨタのランドクルーザーのサスペンションがボッキリと折れた。しかし、辿り着いた村の鍛冶屋で鉄板を鍛えるところから始めて板バネを作り上げ、応急修理をしたものである。治らなければ、永遠に東京に戻れないかもしれない。その背筋の凍るような恐怖は、味わった者にしかわからないであろう。

そうした苦闘がすべて東京の半分くらいしか酸素がない中で行なわれるのである。本書でも徒歩で峠を越えるシーンが出て来るが、私もカイラス山の周囲数十キロを歩いて回った。五六〇〇メートルのドルマ峠への登りは、一歩進んでは杖に縋《すが》り、吐き気を堪《た》えて三分ほども立ち止まるという苦行であった。

「なんでこんな目にあわないかんのや」なのである。登山家ならそれが好きだから勝手にやればいいであろう。しかし、例えば私の場合はカイラス山の写真を撮ることが目的であり、宮嶋の場合は前線に行くためなのである。別に登りたくて、空気の薄いところに登っているわけではないのである。

しかし、残念ながら、読者が最も笑い、最も感動してくれるのはそういう描写の部分なのである。お互い、身体《からだ》張って笑い取るのは四十までにしとこうや、宮嶋（笑）。

もうひとつ、これは年齢とも関係あるのだろうが、本書で私は宮嶋の大きな変化を感じた。それは「情深くなった」ことである。

不覚にも私は本書の何箇所かで目頭を熱くした。かつての彼の著作にもそういう場所はある。しかし、それは例えばタケオや南極で苦楽を共にした人々に関する場所であり、まあいわば、人間としては分かりやすい情である。しかし、本書は違う。はじめて現場で行動を共にしたり、出会った人々に関する記述に、これまでにない情があるのである。

例えば、不幸を一身に背負い込んだようなポーランドのカメラマン、クリスに関するくだりである。宮嶋が見せる男気《おとこぎ》に対して彼は言う。

「ありがとう、感謝している。これで俺は死ぬまで日本贔屓《びいき》だ」

あるいは、日本人記者たちが決死の覚悟で持ち込んだブランデーで乾杯する場面。彼らは口々に言うのである。

「アフガンの将来に」「アフガン人民のために」「平和に」「早くカブールが落ちますよう」

我々は心にもないことを言いつつ、と宮嶋は書くが、これは彼らしいテレであろう。その光景が私には目に浮かぶようだ。共同通信を中心とする、素晴らしい漢《おとこ》たちの脇役が本書を感動的なものにしている。そうした中ですら朝日の人権屋はやはり一挙手一投足がムカつくのは、これはもはや人格ならぬ社格としか言いようがないであろう。

本書で最も感動的な記述は最後にやってくる。不覚にも帰国直後に落ちたカブールへ、宮嶋は自腹で舞い戻る。カブール陥落の日に彼から電話があって、私が「悪いのお、インマルでかけとるんか」と聞くと「都内から携帯ですわ」と答えられて目が点になったことを思い出す。

自腹できっちりとカタをつけることも宮嶋らしくて感動的なのだが、そこで彼は女子高を訪ねるのである。

「その真剣さには感動すら覚える」「お願いですから学校へ行って下さいと拝み倒しても（中略）一歩も部屋を出ないガキのいる国よりよっぽどマシである」

そして彼の著作としてはまことに珍しく、こんな計算をしてみせる。

「渋谷のセンター街でほっつき歩く女子高生一人の一ヵ月のケータイの通話料で、マリアン高校の学生に一本ずつ鉛筆を買うことができます。その女高生が援交で得た金で、全学生にノート一冊以上買うことができます。あなたのガキが『テレビゲームでも買え』と与えられたお年玉をカキ集めると、マリアン高校の全学生の一ヵ月分の授業料が払えます。

そしてダイエーが踏み倒した金でアフガニスタンの一年間の国家予算が賄《まかな》えます」

不肖四十にして社会性の芽生えか（笑）。いや、宮嶋も人の親になる歳になったということなのであろう。世界中にタネを播《ま》き散らすのもいいが、そろそろちゃんとした畑に播いたほうがいいのではないかと言っておこう。

本書を読み通して、私はモーレツに彼と再び前線へ行きたくなってきた。私と宮嶋という黄金コンビが（自分で言うかね）出掛ける場所となれば、かつて二人で行ってムチャクチャ書いたためにおそらくは現体制下では入れず、入ったとしても紅粉《べにこ》船長状態になって皆様にご迷惑をかける、あの国しかないであろう。

北朝鮮。かの人々が蜂起して暴虐なる独裁者が住む宮殿になだれ込んだ時、金正日の住まいがマラカニアン宮殿と化し、チャウシェスクの運命が奴を見舞う時。老骨に鞭打ってでも、私はその現場に行くぞ。

友よ、宮嶋よ、その時はまた一緒に、一番乗りを目指そうじゃないか！

一〇〇字書評

切り取り線

購買動機（新聞、雑誌名を記入するか、あるいは○をつけてください）	
□（　　　　　　　　　　）の広告を見て	
□（　　　　　　　　　　）の書評を見て	
□ 知人のすすめで	□ タイトルに惹かれて
□ カバーがよかったから	□ 内容が面白そうだから
□ 好きな作家だから	□ 好きな分野の本だから

●最近、最も感銘を受けた作品名をお書きください

●あなたのお好きな作家名をお書きください

●その他、ご要望がありましたらお書きください

住所	〒				
氏名		職業		年齢	
新刊情報等のパソコンメール配信を 希望する・しない	Eメール	※携帯には配信できません			

あなたにお願い

この本の感想を、編集部までお寄せいただけたらありがたく存じます。今後の企画の参考にさせていただきます。Eメールでも結構です。

いただいた「一〇〇字書評」は、新聞・雑誌等に紹介させていただくことがあります。その場合はお礼として特製図書カードを差し上げます。

前ページの原稿用紙に書評をお書きの上、切り取り、左記までお送り下さい。宛先の住所は不要です。

なお、ご記入いただいたお名前、ご住所等は、書評紹介の事前了解、謝礼のお届けのためだけに利用し、そのほかの目的のために利用することはありません。またそのデータを六カ月を超えて保管することもありませんので、ご安心ください。

〒一〇一-八七〇一
祥伝社黄金文庫　書評係
☎〇三（三二六五）二〇八〇
ohgon@shodensha.co.jp

祥伝社黄金文庫

祥伝社黄金文庫　創刊のことば

「小さくとも輝く知性」――祥伝社黄金文庫はいつの時代にあっても、きらりと光る個性を主張していきます。

真に人間的な価値とは何か、を求めるノン・ブックシリーズの子どもとしてスタートした祥伝社文庫ノンフィクションは、創刊15年を機に、祥伝社黄金文庫として新たな出発をいたします。「豊かで深い知恵と勇気」「大いなる人生の楽しみ」を追求するのが新シリーズの目的です。小さい身なりでも堂々と前進していきます。

黄金文庫をご愛読いただき、ご意見ご希望を編集部までお寄せくださいますよう、お願いいたします。

平成12年(2000年)2月1日　　　祥伝社黄金文庫　編集部

儂《わし》は舞《ま》い上《あ》がった　アフガン従《じゅう》軍《ぐん》記《き》（下）

平成17年9月5日　初版第1刷発行

著　者　宮《みや》嶋《じま》茂《しげ》樹《き》

発行者　深澤健一

発行所　祥《しょう》伝《でん》社《しゃ》

東京都千代田区神田神保町3-6-5
九段尚学ビル　〒101-8701
☎03（3265）2081（販売部）
☎03（3265）1084（編集部）
☎03（3265）3622（業務部）

印刷所　萩原印刷

製本所　積信堂

造本には十分注意しておりますが、万一、落丁、乱丁などの不良品がありましたら、「業務部」あてにお送り下さい。送料小社負担にてお取り替えいたします。

ISBN4-396-31387-X　C0195

祥伝社のホームページ・http://www.shodensha.co.jp/

祥伝社黄金文庫

長崎快宏
よくばりアジア
行っていい場所ダメな場所
どこに行って何を見る？旅の達人がアジアの街角を三つ星評価。これで完璧！アナ場・おすすめ・ダメな街。

杉浦さやか
ベトナムで見つけた
人気イラストレーターが満喫した散歩と買い物の旅。カラーイラスト満載で贈る、ベトナムを楽しむコツ。

杉浦さやか
東京ホリデイ
人気イラストレーターが東京を歩いて見つけた〝お気に入り〟の数々。街歩きを自分流に楽しむコツ満載。

石田　健
1日1分！英字新聞
超人気メルマガが本になった！〝生きた英語〟はこれで完璧。最新英単語と文法が身につく。

石田　健
1日1分！英字新聞Vol.2
「早く続編を！」のリクエストが殺到した『1日1分！英字新聞』第2弾！〈付録〉「英字新聞によく出る英単語」

石田　健
1日1分！英字新聞Vol.3
最新ニュース満載。TOEIC、就職試験、受験によく効く「英語の特効薬」ができました！

祥伝社黄金文庫

中村澄子
1日1分レッスン！TOEIC Test
「目からウロコ」「正解が見える」噂のメルマガ、待望の書籍化。最小にして最強の参考書！

片岡文子
1日1分！ 英単語
TOEICや入試試験によく効く！ ワンランクアップの単語力はこの1冊で必要にして十分。

志緒野マリ
たった3ヵ月で英語の達人
留学経験なし、英語専攻でもなし。たった3カ月の受験勉強で通訳ガイドになった著者の体験的速習法。

志緒野マリ
これであなたも英会話の達人
ベテラン通訳ガイドが「企業秘密」を初公開！ 外国人との会話を楽しむワザが笑いながら身につく。

シグリッド・H・塩谷
アメリカの子供はどう英語を覚えるか
アメリカ人の子供も英語を間違えながら覚えていく。子供に戻った気分で、気楽にどうぞ。

桂 枝雀
落語で英会話
コミュニケーションの極意はアクションと情にあり！ 英語落語の第一人者が教える英会話の真髄。